시험에 더 강해지는

보카 클리어

중학 **완성편**

학습자의 마음을 읽는 동아영어콘텐츠연구팀

동아영어콘텐츠연구팀은 동아출판의 영어 개발 연구원, 현장 선생님,
그리고 전문 원고 집필자들이 공동 연구를 통해 최적의 콘텐츠를 개발하는 연구 조직입니다.

원고 개발에 참여하신 분들

유애경, 홍미정

기획에 도움을 주신 분들

고미선, 김민성, 김효성, 신영주, 양세희, 이민하, 이지혜, 이재호, 이현아, 정은주, 조나현, 조은혜, 한지원

시험에 더 강해지는 **보카클리어**

중학 완성편

지은이	동아영어콘텐츠연구팀
발행일	2021년 10월 20일
인쇄일	2024년 8월 20일
펴낸곳	동아출판㈜
펴낸이	이욱상
등록번호	제300-1951-4호(1951. 9. 19)
개발총괄	장옥희
개발책임	최효정
개발	이제연, 이상은, 이은지
영문교열	Ryan Lagace, Patrick Ferraro
표지 디자인	목진성, 권구철, 이소연
내지 디자인	DOTS
내지 일러스트	정한아름, 서영철
Photo Credits	Shutter Stock
대표번호	1644-0600
주소	서울시 영등포구 은행로 30 (우 07242)

시험에 **더** 강해지는

보카 클리어

중학 **완성편**

Structures

음원을 바로 들을 수 있는 QR 코드

〈영단어〉〈영단어+우리말 뜻〉
〈영단어+예문〉
3가지의 음원이 제공됩니다.

단어 뜻의 이해를 도와주는 우리말 풀이

단어 뜻이 어려운 경우에는 쉬운
우리말 풀이를 달아 주었어요.

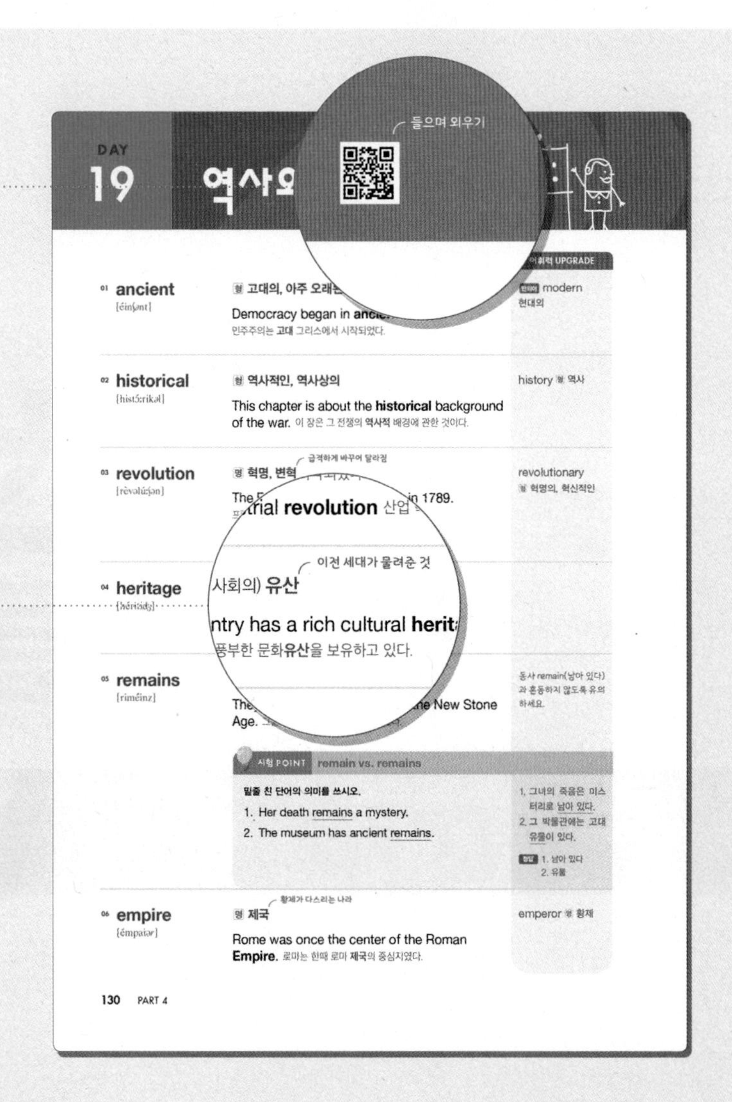

시험에 강해지는 TEST

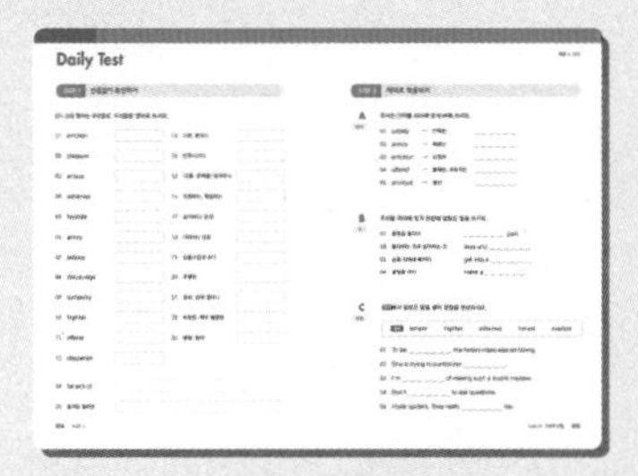

2단계로 구성된 Daily Test로
암기부터 적용까지 확실한 복습!

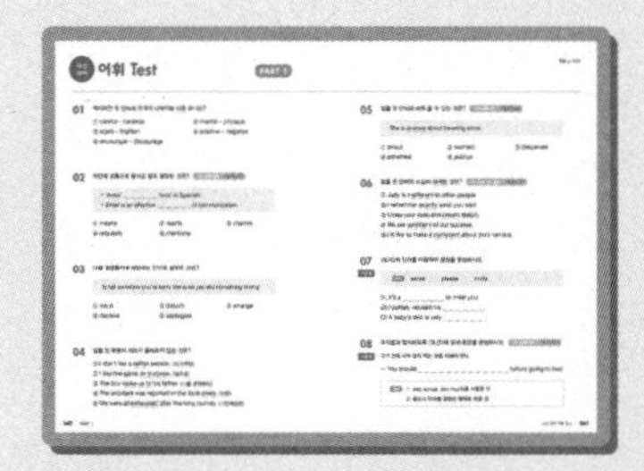

내신 대비 어휘 Test로 객관식부터
서술형까지 학교 시험에 완벽 대비!

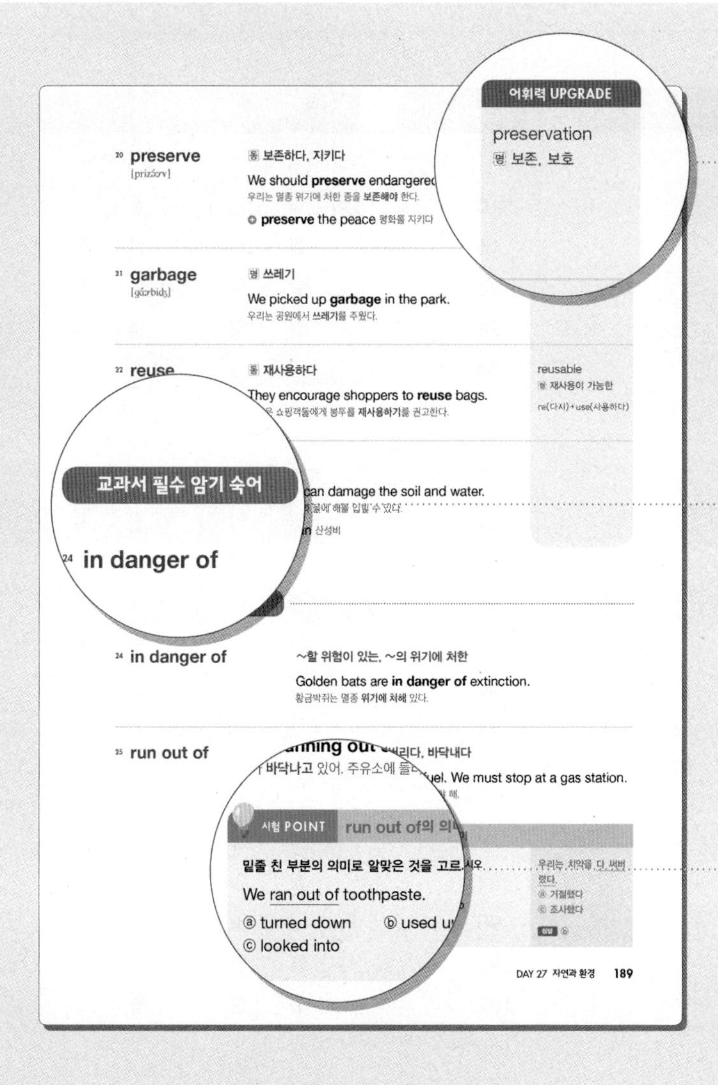

어휘력을 향상시켜 주는 다양한 팁

유의어, 반의어, 파생어,
그리고 단어의 배경지식까지
함께 공부할 수 있어요.

교과서 필수 암기 숙어

주제와 관련된
2~3개의 필수 숙어를
함께 학습할 수 있어요.

어휘 관련 시험포인트

해당 어휘와 관련된 중요한
문법 사항이나 혼동 어휘를
바로바로 확인할 수 있어요.

어휘 학습을 도와주는 미니 단어장과 모바일 앱!

미니 단어장

휴대하기 편한 미니 단어장으로
어디서든 편하게 복습해 보세요.

모바일 앱 '암기고래'

'암기고래' 앱에서 어휘 듣기와
어휘 퀴즈를 이용해 보세요.

'암기고래' 앱 > 일반 모드 입장하기 > 영어 >
동아출판 > 보카클리어

Contents & Planner

공부한 날짜를 적어 보세요!

How to Study

보카클리어
200% 활용법

보카클리어로 똑똑하게 어휘를 공부하는 방법을 알려 드립니다.

1

큰 소리로 발음하며 익혀라!

QR 코드로 정확한 발음을 들으면서 단어를 따라 말해 보세요. 소리 내어 말하면서 외우면 더 오랫동안 기억에 남아요.

2

단계별로 범위를 넓혀 가며 외워라!

처음에는 단어와 기본 의미만,
두 번째는 단어가 쓰인 예문까지,
세 번째는 유의어, 반의어, 파생어까지
범위를 넓혀 가며 외우면 더 효과적이에요.

3

무작정 외우기보다는 적용하며 외워라!

shake는 몸을 흔들면서 외우고,
kind는 친절한 사람을 떠올리는 등
단어의 의미를 나와 연관시켜 외우면
단어를 활용할 때 바로 떠올릴 수 있어요.

4

시험포인트를 적극 활용하라!

시험에 자주 나오는 단어나
헷갈리기 쉬운 단어들을
<시험포인트>로 확실하게 정리해 보세요.

5

주기적으로 복습하라!

단어는 한번에 완벽하게 외우기 어려워요.
오늘 공부한 단어는 1일 후, 7일 후, 30일 후
다시 반복해야 확실히 외울 수 있어요.

6

자투리 시간도 내 것으로 만들어라!

학교나 학원을 오갈 때, 쉬는 시간 또는
시험 직전에 미니 단어장과 모바일 앱
(암기고래)을 틈틈이 활용해 보세요.

이 책에 사용된 약호·기호

명 명사　동 동사　형 형용사　부 부사　전 전치사　접 접속사　대 대명사　감 감탄사

유의어 뜻이 비슷한 말　반의어 뜻이 반대되는 말　+ 덩어리로 익히면 좋은 표현

How to Pronounce

발음 기호
읽는 법

발음 기호를 왜 알아야 할까요?

영어 단어는 철자 그대로 발음되지 않아요.
따라서 발음 기호를 알면 일일이 음성을 확인하지 않고도
영어 단어를 읽을 수 있답니다.

모음

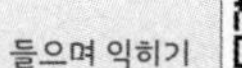

들으며 익히기

기호	소리	예시	기호	소리	예시
[a]	ㅏ	box [baks]	[æ]	ㅐ	cat [kæt]
[e]	ㅔ	bed [bed]	[ʌ]	ㅓ	bus [bʌs]
[i]	ㅣ	pin [pin]	[ə]	ㅓ	again [əgéin]
[o]	ㅗ	go [gou]	[ɔ]	ㅗ/ㅓ	dog [dɔg]
[u]	ㅜ	book [buk]	[ɛ]	ㅔ	bear [bɛər]

- 모음 다음에 : 표시가 붙어 있으면 길게 발음하라는 의미예요.
- 모음 위에 ´ 표시가 있으면 가장 강하게 발음하라는 의미이고, ` 표시가 있으면 두 번째로 강하게 발음하라는 의미예요.

자음

기호	소리	예시	기호	소리	예시
[b]	ㅂ	boy [bɔi]	[p]	ㅍ	piano [piǽnou]
[d]	ㄷ	do [du]	[f]	ㅍ/ㅎ	five [faiv]
[m]	ㅁ	milk [milk]	[s]	ㅅ	six [siks]
[n]	ㄴ	name [neim]	[k]	ㅋ	king [kiŋ]
[r]	ㄹ	red [red]	[t]	ㅌ	time [taim]
[l]	ㄹ	list [list]	[ʃ]	쉬	she [ʃiː]
[g]	ㄱ	give [giv]	[tʃ]	취	chair [tʃɛər]
[z]	ㅈ	zoo [zuː]	[θ]	쓰	thing [θiŋ]
[v]	ㅂ	very [véri]	[ð]	드	this [ðis]
[h]	ㅎ	home [houm]	[ŋ]	받침 ㅇ	sing [siŋ]
[ʒ]	쥐	television [téləvìʒən]	[j]	이	yes [jes]
[dʒ]	쥐	jam [dʒæm]	[w]	우	window [wíndou]

PART 1

DAY

01 기분과 감정

들으며 외우기

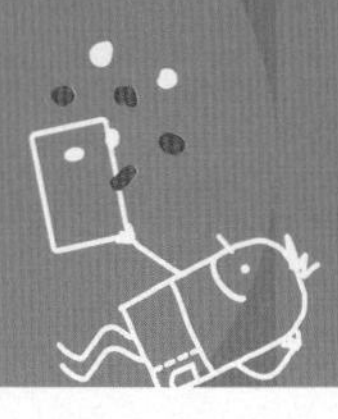

어휘력 UPGRADE

01 **emotion** [imóuʃən]

명 감정

You can show your **emotions** with emoticons.
이모티콘으로 너의 **감정**을 보여줄 수 있다.

emotional 형 감정의

---

02 **mood** [mu:d]

명 1. 기분 2. 분위기

Andy was in a good **mood** this morning.
Andy는 오늘 아침에 **기분**이 좋았다.

The **mood** of the film was cheerful.
그 영화의 **분위기**는 활기찼다.

---

03 **pleasure** [pléʒər]

명 기쁨, 즐거움

We can find **pleasure** in small things.
우리는 작은 것에서 **기쁨**을 찾을 수 있다.

please 동 기쁘게 하다

---

04 **satisfy** [sǽtisfai]

동 만족시키다

The movie failed to **satisfy** audiences.
그 영화는 관객들을 **만족시키는** 데 실패했다.

satisfied 형 만족한

---

05 **anxious** [ǽŋkʃəs]

형 1. 걱정하는, 불안해하는 2. 열망하는 (열렬히 바라는)

Many teenagers are **anxious** about the future.
많은 십대들이 미래에 대해 **불안해한다**.

She is **anxious** to see you.
그녀는 당신을 만나기를 **열망한다**.

anxiety 명 불안

시험 POINT anxious의 의미

밑줄 친 단어의 의미로 알맞은 것을 고르시오.

I'm anxious about my father's health.

ⓐ proud ⓑ worried ⓒ scared

나는 아버지의 건강에 대해 걱정하고 있다.
ⓐ 자랑스러운
ⓒ 무서워하는

정답 ⓑ

어휘력 UPGRADE

06 **relieve**
[rilíːv]

동 (고통·문제 등을) **덜어주다, 줄이다**

Doing yoga can **relieve** stress.
요가를 하는 것이 스트레스를 **덜어줄** 수 있다.

⊕ **relieve** pain 통증을 줄이다

relieved 형 안심한

---

07 **ashamed**
[əʃéimd]

형 **부끄러운, 창피한**

He was **ashamed** of his behavior.
그는 자신의 행동이 **부끄러웠다**.

⊕ be **ashamed** of ~을 부끄러워하다

---

08 **temper**
[témpər]

명 (욱하는) **성질**

She needs to control her **temper**.
그녀는 **성질**을 참을 필요가 있다.

---

09 **dislike**
[disláik]

동 **싫어하다** 명 **싫어함, 반감** (반대하거나 반항하는 감정)

Most children **dislike** going to the dentist.
대부분의 아이들은 치과에 가는 것을 **싫어한다**.

⊕ likes and **dislikes** 좋아하는 것과 싫어하는 것

dis(~아닌)+like(좋아하다)

---

10 **annoy**
[ənɔ́i]

동 **짜증나게 하다**

He **annoyed** me with his stupid questions.
그는 바보 같은 질문으로 나를 **짜증나게 했다**.

annoyed 형 짜증난

---

11 **hesitate**
[héziteit]

동 **망설이다, 주저하다**

Don't **hesitate** to call me if you need anything.
필요한 게 있으면 **주저하지** 말고 전화하세요.

hesitation 명 망설임

---

12 **jealous**
[dʒéləs]

형 **질투하는, 시기하는**

Some of his friends are **jealous** of his success.
그의 친구들 중 몇몇은 그의 성공을 **시기한다**.

⊕ **jealous** of ~을 질투하는

어휘력 UPGRADE

13 **embarrass**
[imbǽrəs]

동 당황스럽게 하다, 난처하게 만들다

Her behavior **embarrassed** me.
그녀의 행동은 나를 **당황스럽게 했다**.

embarrassed
형 당황한, 창피한

r과 s를 두 번씩 쓰는 것에 주의하세요.

---

14 **desperate**
[déspərət]

형 절망적인, 자포자기한

He lost all his money and felt **desperate**.
그는 돈을 모두 잃었고 **절망적으로** 느꼈다.

---

15 **discourage**
[diskə́:ridʒ]

동 좌절시키다, 의욕을 꺾다

The first failure **discouraged** him.
첫 실패가 그를 **좌절시켰다**.

반의어 encourage
격려하다, 용기를 주다

dis(~아닌) + courage (용기)

---

16 **sympathy**
[símpəθi]

명 동정, 연민 (불쌍하고 가엽게 여김)

She felt a deep **sympathy** for the little girl.
그녀는 그 어린 소녀에게 깊은 **연민**을 느꼈다.

---

17 **panic**
[pǽnik]
panicked-panicked

명 공포, 공황 (두려움이나 공포로 인한 불안 상태) 동 겁에 질리다, 공황 상태에 빠지다

The news caused **panic** in the city.
그 소식은 그 도시에 **공포**를 불러일으켰다.

I **panicked** because I didn't know how to swim.
나는 수영하는 법을 몰라서 **겁에 질렸다**.

⊕ get into a **panic** 공황 상태에 빠지다

---

18 **frighten**
[fráitn]

동 겁먹게 만들다

The horror movie really **frightened** me.
그 공포 영화는 나를 정말 **겁먹게 만들었다**.

frightened
형 겁먹은

유의어 scare

---

19 **offend**
[əfénd]

동 기분 상하게 하다, 불쾌하게 하다

I didn't mean to **offend** you.
너를 **기분 나쁘게 할** 의도는 아니었어.

offensive
형 불쾌한, 모욕적인

어휘력 UPGRADE

20 **amaze**
[əméiz]

동 (깜짝) 놀라게 하다

The news **amazed** us. 그 소식은 우리를 **깜짝 놀라게 했다**.

amazing 형 놀라운

---

21 **depressed**
[diprést]

형 우울한, 암울한

Rainy weather makes her **depressed**.
비 오는 날씨는 그녀를 **우울하게** 만든다.

depress
동 우울하게 만들다

---

22 **miserable**
[mízərəbl]

형 비참한, 매우 불행한

The writer had a **miserable** childhood.
그 작가는 **불행한** 어린 시절을 보냈다.

---

23 **complaint**
[kəmpléint]

명 불평, 항의

He did the work without **complaint**.
그는 **불평** 없이 그 일을 했다.

⊕ make a **complaint** 불평[항의]을 하다

complain
동 불평하다, 항의하다

시험 POINT **complaint vs. complain**

네모 안에서 알맞은 것을 고르시오.

I made a [complaint / complain] about the noise.

나는 소음에 대해 항의를 했다.

정답 complaint

교과서 필수 암기 숙어

24 **be sick of**

~에 싫증이 나다, ~에 질리다

I **am sick of** hearing your excuses.
나는 너의 변명을 듣는 것**에 질렸어**.

---

25 **to be honest**

솔직히 말하면

To be honest, the food was terrible.
솔직히 말하면 그 음식은 형편없었어.

Daily Test

STEP 1 빈틈없이 확인하기

[01-25] 영어는 우리말로, 우리말은 영어로 쓰시오.

01 emotion

02 pleasure

03 amaze

04 ashamed

05 hesitate

06 annoy

07 jealous

08 discourage

09 sympathy

10 frighten

11 offend

12 desperate

13 기분, 분위기

14 만족시키다

15 (고통·문제를) 덜어주다

16 걱정하는, 열망하는

17 싫어하다; 반감

18 (욱하는) 성질

19 당황스럽게 하다

20 우울한

21 공포; 겁에 질리다

22 비참한, 매우 불행한

23 불평, 항의

24 be sick of

25 솔직히 말하면

정답 p. 282

STEP 2 제대로 적용하기

A 주어진 단어를 의미에 맞게 바꿔 쓰시오.

단어

01 satisfy → 만족한 ______________

02 annoy → 짜증난 ______________

03 emotion → 감정의 ______________

04 offend → 불쾌한, 모욕적인 ______________

05 anxious → 불안 ______________

B 우리말 의미에 맞게 빈칸에 알맞은 말을 쓰시오.

구

01 통증을 줄이다 ______________ pain

02 좋아하는 것과 싫어하는 것 likes and ______________

03 공황 상태에 빠지다 get into a ______________

04 불평을 하다 make a ______________

C 보기에서 알맞은 말을 골라 문장을 완성하시오.

문장

보기	temper	frighten	ashamed	honest	hesitate

01 To be ______________, the history class was so boring.

02 She is trying to control her ______________.

03 I'm ______________ of making such a stupid mistake.

04 Don't ______________ to ask questions.

05 I hate spiders. They really ______________ me.

DAY
02 대화와 소통

들으며 외우기

어휘력 UPGRADE

01 **communicate** [kəmjú:nikeit]

동 연락을 주고받다, 의사소통하다

Mark and I usually **communicate** by email.
Mark와 나는 보통 이메일로 **연락을 주고받는다**.

communication
명 의사소통, 연락

---

02 **interact** [intərǽkt]

동 교류하다, 소통하다

She **interacts** well with others.
그녀는 다른 사람들과 잘 **교류한다**.

---

03 **means** [mi:nz]

명 수단, 방법

At that time the only **means** of communication was letters. 그 당시에는 유일한 의사소통 **수단**이 편지였다.

⊕ **means** of transportation 교통수단

means와 mean(의미하다; 비열한)은 완전히 다른 의미의 단어예요.

시험 POINT mean vs. means

<보기>에서 밑줄 친 단어의 의미를 고르시오.

보기 ⓐ 의미하다 ⓑ 방법

1. Amour means 'love' in French.
2. We should find a peaceful means.

1. '아모르'는 프랑스어로 '사랑'을 의미한다.
2. 우리는 평화적인 방법을 찾아야 한다.

정답 1. ⓐ 2. ⓑ

---

04 **mention** [ménʃən]

동 말하다, 언급하다

When I **mentioned** her name, he was surprised.
내가 그녀의 이름을 **언급했을** 때, 그는 놀랐다.

감사의 말에 대한 대답으로 Don't mention it.(별 말씀을요.)을 많이 써요.

---

05 **respond** [rispá:nd]

동 대답하다, 응답하다

Amy didn't **respond** to my text message.
Amy는 내 문자 메시지에 **응답하지** 않았다.

response
명 대답, 응답

---

06 **interrupt** [intərʌ́pt]

동 방해하다, 중단시키다

Sorry to **interrupt**, but I have a question.
방해해서 죄송하지만, 질문이 있어요.

interruption
명 방해, 중단

어휘력 UPGRADE

07 **emphasize**
[émfəsaiz]

동 강조하다, 역설하다 (힘주어 주장하다)

The principal **emphasized** the importance of confidence. 교장 선생님은 자신감의 중요성을 **강조했다**.

emphasis 명 강조

---

08 **interpret**
[intə́ːrprit]

동 1. 통역하다 2. 해석하다

I can't speak Chinese, so I need someone to **interpret** for me.
나는 중국어를 못해서 나에게 **통역해** 줄 사람이 필요하다.

⊕ **interpret** a dream 꿈을 해석하다, 해몽하다

interpreter 명 통역사

---

09 **translate**
[trænsléit]

동 번역하다

She helped me **translate** this letter into English.
그녀는 내가 이 편지를 영어로 **번역하는** 것을 도와주었다.

⊕ **translate** *A* into *B* A를 B로 번역하다

translation 명 번역
translator 명 번역가

---

10 **pause**
[pɔːz]

동 잠시 멈추다, 일시 중지하다 명 멈춤, 중지

The pianist **paused** for a few seconds before starting to play again.
그 피아니스트는 연주를 다시 시작하기 전에 몇 초 동안 **잠시 멈추었다**.

After a **pause** he continued the speech.
잠시 멈춘 후에 그는 연설을 이어갔다.

---

11 **indicate**
[índikeit]

동 1. 나타내다, 보여주다 2. 가리키다

This sign **indicates** that you can park here.
이 표지판은 여기에 주차해도 된다는 것을 **나타낸다**.

⊕ **indicate** a direction 방향을 가리키다

---

12 **remark**
[rimάːrk]

명 발언, 언급, 논평 (어떤 내용에 대한 의견) 동 언급하다, 논평하다

You should ignore her rude **remarks** about your work.
네 작품에 대한 그녀의 무례한 **발언**을 무시해야 한다.

He **remarked** that the movie was so boring.
그는 그 영화가 매우 지루했다고 **논평했다**.

유의어 comment 논평(하다)

어휘력 UPGRADE

13 **inquire** [inkwáiər]

동 묻다, 질문하다

He called me to **inquire** about the schedule.
그는 일정에 대해 **묻기** 위해서 내게 전화했다.

유의어 ask

---

14 **request** [rikwést]

명 요청, 신청 동 요청하다, 신청하다

The actor has refused all interview **requests**.
그 배우는 모든 인터뷰 **요청**을 거절했다.

The customer **requested** a table near the window. 그 손님은 창가 근처의 자리를 **요청했다**.

---

15 **beg** [beg]

동 1. 간청하다, 애원하다 (간절히 부탁하다) 2. 구걸하다

The boy **begged** his mom to buy the toy robot.
그 소년은 엄마에게 로봇 장난감을 사달라고 **애원했다**.

A man was **begging** for food on the street.
한 남자가 길거리에서 음식을 **구걸하고** 있었다.

beggar 명 거지

상대방에게 한 번 더 말해달라고 요청할 때 I beg your pardon?이라고 말해요.

---

16 **avoid** [əvɔ́id]

동 1. 피하다, 회피하다 2. 방지하다, 막다

She **avoids** telling the truth about her father.
그녀는 아버지에 대한 진실을 말하는 것을 **회피한다**.

⊕ **avoid** an accident 사고를 방지하다

시험 POINT avoid의 용법

네모 안에서 알맞은 것을 고르시오.

I avoid [drinking / to drink] coffee before bed.
나는 자기 전에 커피 마시는 것을 피한다.

'~하는 것을 피하다'는 「avoid+-ing」로 쓴다.

정답 drinking

---

17 **deny** [dinái]

동 부인하다, 부정하다 (그렇지 않다고 말하다)

I can't **deny** that Mark is honest.
나는 Mark가 정직하다는 것은 **부인할** 수 없다.

denial 명 부인, 부정

---

18 **refuse** [rifjú:z]

동 거절하다, 거부하다

He **refused** to answer any personal questions.
그는 어떤 개인적인 질문에도 대답하기를 **거부했다**.

refusal 명 거절, 거부

어휘력 UPGRADE

19 **misunderstand** [mìsʌndərstǽnd]

동 오해하다, 잘못 이해하다

Don't **misunderstand** me.
나를 **오해하지** 마세요.

mis(잘못된) + understand(이해하다)

---

20 **exactly** [igzǽktli]

부 정확히, 꼭

I can't remember **exactly** what he said.
나는 그가 말한 것을 **정확히** 기억할 수 없다.

상대방이 한 말에 대해 맞장구치며 "그래, 맞아.", "바로 그거야."라고 말할 때 "Exactly."를 써요.

---

21 **indeed** [indíːd]

부 사실은, 정말

I'm very happy **indeed** to see you again.
너를 다시 만나서 **정말이지** 매우 기뻐.

---

22 **frankly** [frǽŋkli]

부 솔직히

Frankly, the movie was quite interesting.
솔직히 그 영화는 꽤 재미있었어.

⊕ **frankly** speaking 솔직히 말하면

frank 형 솔직한

---

23 **moreover** [mɔːróuvər]

부 게다가, 더욱이

We were completely exhausted. **Moreover**, it began to rain.
우리는 완전히 지쳐 있었다. **게다가** 비까지 내리기 시작했다.

유의어 furthermore

교과서 필수 암기 숙어

24 **on purpose**

고의로, 일부러

He poured water on my shirt **on purpose.**
그는 내 셔츠에 **고의로** 물을 쏟았다.

---

25 **feel free to**

거리낌 없이[마음 놓고] ~하다

Feel free to ask me if you have any questions.
질문이 있으면 **거리낌 없이** 제게 물어**보세요.**

Daily Test

STEP 1 빈틈없이 확인하기

[01-25] 영어는 우리말로, 우리말은 영어로 쓰시오.

01 interact

02 mention

03 respond

04 interpret

05 means

06 indicate

07 remark

08 inquire

09 request

10 refuse

11 indeed

12 moreover

13 의사소통하다

14 방해하다, 중단시키다

15 강조하다

16 번역하다

17 간청하다, 구걸하다

18 피하다, 방지하다

19 부인하다, 부정하다

20 오해하다

21 솔직히

22 잠시 멈추다; 중지

23 정확히, 꼭

24 feel free to

25 고의로, 일부러

정답 p.282

STEP 2 제대로 적용하기

A 단어

주어진 단어를 의미에 맞게 바꿔 쓰시오.

01 respond → 대답, 응답 ____________

02 emphasize → 강조 ____________

03 translate → 번역가 ____________

04 beg → 거지 ____________

05 refuse → 거절, 거부 ____________

B 구

우리말 의미에 맞게 빈칸에 알맞은 말을 쓰시오.

01 교통수단 ____________ of transportation

02 꿈을 해석하다 ____________ a dream

03 인터뷰 요청 an interview ____________

04 사고를 방지하다 ____________ an accident

05 솔직히 말하면 ____________ speaking

C 문장

보기에서 알맞은 말을 골라 문장을 완성하시오.

보기	interrupt	indeed	communicate	pause	translate

01 Judy and I usually ____________ by text message.

02 Don't ____________ me when I'm on the phone.

03 He answered my question after a long ____________.

04 Mark helped me ____________ the sentence into French.

05 I'm very sorry ____________ to hear of your grandma's death.

03 성격과 태도

들으며 외우기

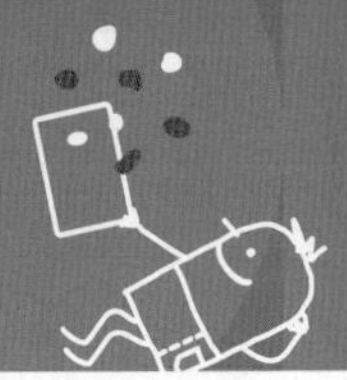

어휘력 UPGRADE

01 **behave** [bihéiv]

동 행동하다

Andy sometimes **behaves** like a child.
Andy는 종종 어린아이처럼 **행동한다**.

behavior 명 행동, 품행

02 **impression** [impréʃən]

명 인상, 느낌

It is important to make a good **impression** on others. 다른 사람들에게 좋은 **인상**을 주는 것은 중요하다.

⊕ the first **impression** 첫인상

impress 동 깊은 인상을 주다

03 **generous** [dʒénərəs]

형 너그러운, 관대한

She has always been very **generous** to children. 그녀는 항상 아이들에게 무척 **너그러웠다**.

generosity 명 관대함

04 **sincere** [sinsíər]

형 진심 어린, 진정한

Please accept my **sincere** apology.
저의 **진심 어린** 사과를 받아주세요.

sincerely 부 진심으로

05 **charm** [tʃɑːrm]

명 매력 동 매료시키다

She is a woman of great **charm**.
그녀는 무척 **매력** 있는 여자이다.

She **charmed** everyone with her warm smile.
그녀는 따뜻한 미소로 모든 사람을 **매료시켰다**.

charming 형 매력적인

06 **energetic** [ènərdʒétik]

형 활기찬, 활력이 넘치는

Angela always seems to be **energetic**.
Angela는 항상 **활기차** 보인다.

energy 명 활기, 기운

어휘력 UPGRADE

07 **diligent**
[dílidʒənt]

형 부지런한, 근면한

Justin is a very **diligent** student.
Justin은 매우 **부지런한** 학생이다.

---

08 **humble**
[hʌ́mbl]

형 겸손한

The scientist is **humble** about his achievements.
그 과학자는 자신의 업적에 대해 **겸손하다**.

유의어 modest

---

09 **confident**
[kɑ́nfidənt]

형 1. 자신감 있는 2. 확신하는

His voice sounded **confident**.
그의 목소리는 **자신감 있게** 들렸다.

I'm **confident** of victory. 나는 승리를 **확신한다**.

⊕ be **confident** of ~을 확신하다

confidence
명 자신감, 확신

---

10 **outstanding**
[autstǽndiŋ]

형 뛰어난, 두드러진

Jason is the school's most **outstanding** student. Jason은 학교에서 가장 **뛰어난** 학생이다.

---

11 **bold**
[bould]

형 대담한, 과감한

He was **bold** enough to dive into the sea.
그는 바다에 뛰어들 만큼 **대담했다**.

---

12 **noble**
[nóubl]

형 1. 고귀한, 고결한 (인품이 훌륭한) 2. 귀족의

I think that he was a **noble** leader.
나는 그가 **고결한** 지도자였다고 생각한다.

She married a man from a **noble** family.
그녀는 **귀족** 가문의 남자와 결혼했다.

시험 POINT noble vs. novel

네모 안에서 알맞은 것을 고르시오.

He is a man of [novel / noble] character.
그는 고결한 품성을 지닌 사람이다.

novel: 소설
noble: 고결한

정답 noble

어휘력 UPGRADE

13 **ambitious** [æmbíʃəs]

형 **야심 있는, 야망에 찬**

He is a very **ambitious** businessman.
그는 매우 **야심 있는** 사업가이다.

ambition 명 야망, 야심

---

14 **sensitive** [sénsətiv]

형 **1. 세심한 2. 예민한, 민감한**

He is **sensitive** to others' feelings.
그는 다른 사람들의 감정에 **세심하다**.

sensitive skin 민감한 피부

sense 명 감각

---

15 **careless** [kέərləs]

형 **부주의한, 조심성 없는**

Don't be so **careless** next time.
다음번에는 그렇게 **부주의하지** 마라.

careless driving 부주의한 운전

반의어 careful 조심하는, 주의 깊은

---

16 **negative** [négətiv]

형 **부정적인**

She said **negative** things about the idea.
그녀는 그 아이디어에 대해 **부정적인** 점들을 말했다.

반의어 positive 긍정적인

---

17 **arrogant** [ǽrəgənt]

형 **거만한, 오만한** (건방지거나 거만한)

The actor was rude and **arrogant**.
그 배우는 무례하고 **거만했다**.

arrogance 명 오만

---

18 **indifferent** [indífrənt]

형 **무관심한, 무심한**

He seems to be **indifferent** to other people.
그는 다른 사람들에게 **무관심한** 것처럼 보인다.

indifference 명 무관심

시험 POINT 단어의 의미 관계

짝지어진 두 단어의 관계가 나머지와 다른 하나를 고르시오.

ⓐ like – dislike ⓑ careful – careless
ⓒ different – indifferent ⓓ positive – negative

ⓐ, ⓑ, ⓓ는 반의어 관계이다.
different: 다른
indifferent: 무관심한

정답 ⓒ

19 **selfish** [sélfiʃ]

형 이기적인

His **selfish** attitude is hurting the group project.
그의 **이기적인** 태도가 조별 과제를 망치고 있다.

20 **ignore** [ignɔ́ːr]

동 무시하다

She tends to **ignore** advice from others.
그녀는 다른 사람들의 충고를 **무시하는** 경향이 있다.

ignorance 명 무지

21 **greedy** [gríːdi]

형 탐욕스러운, 욕심 많은

In the story, Scrooge was a **greedy** man.
그 이야기에서 스크루지는 **탐욕스러운** 사람이었다.

22 **passive** [pǽsiv]

형 수동적인, 소극적인

In the past, women usually played a **passive** role. 과거에는 여성들이 대개 **수동적인** 역할을 했다.

23 **pretend** [priténd]

동 ~인 척하다

We **pretended** that everything was okay.
우리는 모든 것이 괜찮은 **척했다**.

I **pretended** to be asleep. 나는 잠이 든 **척했다**.

교과서 필수 암기 숙어

24 **be willing to**

기꺼이 ~하다

They **are** always **willing to** help each other.
그들은 항상 **기꺼이** 서로 **돕는다**.

25 **look up to**

~을 존경하다

Many young people **look up to** the leader.
많은 젊은이들이 그 지도자**를 존경한다**.

Daily Test

STEP 1 빈틈없이 확인하기

[01-25] 영어는 우리말로, 우리말은 영어로 쓰시오.

01 behave

02 humble

03 energetic

04 confident

05 outstanding

06 ambitious

07 sensitive

08 ignore

09 arrogant

10 indifferent

11 greedy

12 passive

13 너그러운, 관대한

14 인상, 느낌

15 진심 어린, 진정한

16 부지런한, 근면한

17 매력; 매료시키다

18 대담한, 과감한

19 고귀한, 귀족의

20 부주의한

21 이기적인

22 부정적인

23 ~인 척하다

24 be willing to

25 ~을 존경하다

정답 p.283

STEP 2 제대로 적용하기

A 단어

주어진 단어를 의미에 맞게 바꿔 쓰시오.

01 behave → 행동, 품행 ______________

02 ambition → 야심 있는 ______________

03 confident → 자신감, 확신 ______________

04 generous → 관대함 ______________

05 indifferent → 무관심 ______________

B 구

우리말 의미에 맞게 빈칸에 알맞은 말을 쓰시오.

01 첫인상 the first ______________

02 부주의한 운전 ______________ driving

03 수동적인 역할을 하다 play a ______________ role

04 이기적인 태도 a ______________ attitude

05 귀족 가문 a ______________ family

C 문장

빈칸에 알맞은 말을 넣어 문장을 완성하시오.

01 I don't like Andy because he is ______________.
나는 Andy가 거만해서 좋아하지 않는다.

02 Jack is a confident and ______________ man.
Jack은 자신감 있고 활력이 넘치는 남자이다.

03 Mr. Smith is a very ______________ worker.
Smith 씨는 매우 부지런한 일꾼이다.

04 The students ______________ ______________ to their teacher.
그 학생들은 그들의 선생님을 존경한다.

04 신체와 동작

들으며 외우기

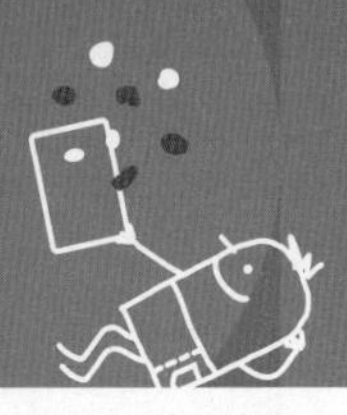

어휘력 UPGRADE

01 **physical** [fízikəl]

형 **신체의**

Regular **physical** activity is important for good health. 규칙적인 **신체** 활동은 건강에 중요하다.

---

02 **appearance** [əpíərəns]

명 **외모, 겉모습**

She always cares about her **appearance**.
그녀는 항상 **외모**에 신경 쓴다.

⊕ physical **appearance** 신체적 외모

appear 동 나타나다

---

03 **sense** [sens]

명 **감각**

Dogs have a good **sense** of smell.
개는 뛰어난 **후각**을 가지고 있다.

⊕ the five **senses** 오감

sight(시각), hearing(청각), smell(후각), taste(미각), touch(촉각)를 the five senses(오감)라고 해요.

---

04 **breathe** [bri:ð]

동 **호흡하다, 숨을 쉬다**

I can hardly **breathe** with this smoke.
이 연기 때문에 나는 거의 **숨을 쉴** 수 없다.

⊕ **breathe** deeply 깊게 숨을 쉬다, 심호흡하다

breath 명 입김, 숨

시험 POINT breathe vs. breath

네모 안에서 알맞은 것을 고르시오.

1. Relax and [breathe / breath] deeply.
2. Take a deep [breathe / breath].

1. 긴장을 풀고 깊게 숨을 쉬세요.
2. 깊은 숨을 쉬세요.

정답 1. breathe
2. breath

---

05 **sight** [sait]

명 **시력,** (눈으로) **봄**

He lost his **sight** in the car accident.
그는 자동차 사고로 **시력**을 잃었다.

⊕ at first **sight** 첫눈에

sight의 gh는 묵음이에요.

어휘력 UPGRADE

06 **advantage** [ədvǽntidʒ]

명 **유리한 점, 장점**

His height gives him a big **advantage** as a basketball player.
그의 키는 농구선수로서 그에게 큰 **장점**이 된다.

반의어 disadvantage 불리한 점, 약점

07 **disabled** [diséibld]

형 (신체적·정신적) **장애가 있는**

She is **disabled** and needs extra support.
그녀는 **장애가 있어서** 추가적인 지원이 필요하다.

disability 명 장애

08 **cell** [sel]

명 **세포**

A **cell** is the smallest part of a living thing.
세포는 생물의 가장 작은 부분이다.

+ brain **cells** 뇌세포

09 **pale** [peil]

형 (안색이) **창백한**

Her face went **pale** with fear.
그녀의 얼굴은 공포로 **창백해**졌다.

+ go[turn] **pale** 창백해지다, 하얗게 질리다

10 **exhausted** [igzɔ́:stid]

형 **탈진한, 기진맥진한**

After the marathon, he was completely **exhausted.** 마라톤 후에 그는 완전히 **탈진했다**.

exhausted의 h는 묵음이에요.

11 **mental** [méntl]

형 **정신적인, 마음의**

Stress has an effect on your **mental** health.
스트레스는 당신의 **정신** 건강에 영향을 미친다.

반의어 physical 신체의

12 **depression** [dipréʃən]

명 **1. 우울(증) 2. 불경기, 불황** (경제 활동이 침체된 상태)

These days many people suffer from **depression.** 요즘에는 많은 사람들이 **우울증**을 겪는다.

+ economic **depression** 경제적 불황, 경기 침체

depress 동 우울하게 하다

어휘력 UPGRADE

13 **forehead**
[fɔ́ːrhed]

명 이마

When I touched his **forehead**, it felt hot.
그의 **이마**를 짚어 보니 열이 있었다.

fore(앞에) + head(머리)

---

14 **stare**
[stɛər]

동 **빤히 쳐다보다, 응시하다**

He **stared** at the computer screen for a while.
그는 한동안 컴퓨터 스크린을 **응시했다**.

⊕ **stare** at ~을 응시하다

stare는 시선을 한 곳에 고정하고 쳐다보는 것을 나타내요.

---

15 **press**
[pres]

동 **누르다** 명 **언론, 신문**

I **pressed** the play button to start the movie.
나는 재생 버튼을 **눌러** 영화를 틀었다.

⊕ the local **press** 지역 신문

pressure 명 압력

---

16 **twist**
[twist]

동 **1. (신체 일부를) 돌리다 2. 구부리다**

Mom **twisted** her head around to look at me.
엄마는 고개를 **돌려** 나를 쳐다보았다.

Twist the end of the wire. 철사의 끝부분을 **구부려라**.

---

17 **grab**
[græb]
grabbed-grabbed

동 **붙잡다, 움켜쥐다**

He **grabbed** my hand tightly and ran.
그는 내 손을 꽉 **붙잡고** 뛰었다.

---

18 **tap**
[tæp]
tapped-tapped

동 **가볍게 두드리다, 톡톡 치다**
명 **수도꼭지**

Helen **tapped** a pencil on the desk.
Helen은 연필을 책상에 **톡톡 쳤다**.

⊕ **tap** water 수돗물

---

19 **slip**
[slip]
slipped-slipped

동 **미끄러지다**

Be careful not to **slip** on the ice.
얼음 위에서 **미끄러지지** 않게 조심해.

어휘력 UPGRADE

20 **whistle**
[wísl]

동 휘파람[호루라기]을 불다 명 호루라기 (소리)

Steve **whistled** happily on his way home.
Steve는 집에 가는 길에 기분 좋게 **휘파람을 불었다**.

⊕ blow a **whistle** 호루라기를 불다

---

21 **shut**
[ʃʌt]
shut-shut

동 닫다, 닫히다

He **shut** the door quietly not to make any noise. 그는 소리를 내지 않으려고 조용히 문을 **닫았다**.

눈을 감다, 귀를 막다, 입을 다물다 등을 표현할 때도 shut을 쓸 수 있어요.

---

22 **sneeze**
[sniːz]

동 재채기하다 명 재채기

I can't stop **sneezing** and coughing.
나는 **재채기**와 기침을 멈출 수가 없다.

---

23 **react**
[riǽkt]

동 반응하다

Goalkeepers have to **react** quickly.
골키퍼는 빠르게 **반응해야** 한다.

reaction 명 반응

교과서 필수 암기 숙어

24 **out of sight**

시야에서 벗어난, 보이지 않는 곳에

I watched the train until it was **out of sight**.
나는 기차가 **시야에서 벗어날** 때까지 바라보았다.

---

25 **with one's arms crossed**

팔짱을 끼고

He was waiting in line **with his arms crossed**.
그는 **팔짱을 끼고** 줄을 서서 기다리고 있었다.

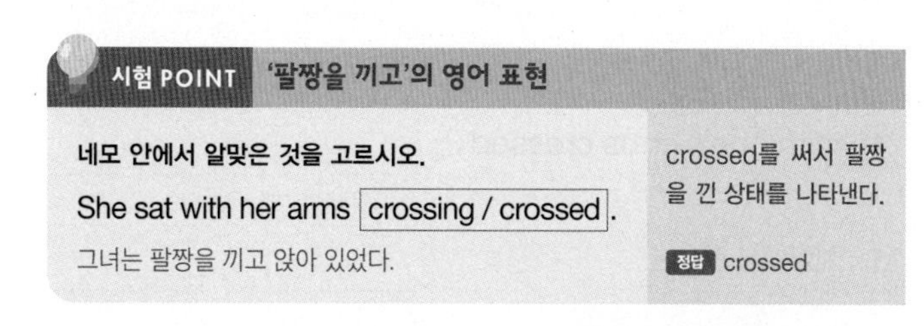
시험 POINT '팔짱을 끼고'의 영어 표현

네모 안에서 알맞은 것을 고르시오.

She sat with her arms [crossing / crossed].
그녀는 팔짱을 끼고 앉아 있었다.

crossed를 써서 팔짱을 낀 상태를 나타낸다.

정답 crossed

Daily Test

STEP 1 빈틈없이 확인하기

[01-25] 영어는 우리말로, 우리말은 영어로 쓰시오.

01	appearance	13	신체의
02	breathe	14	감각
03	disabled	15	시력, (눈으로) 봄
04	cell	16	유리한 점, 장점
05	pale	17	정신적인, 마음의
06	exhausted	18	우울증, 불경기
07	twist	19	이마
08	sneeze	20	반응하다
09	stare	21	누르다; 언론, 신문
10	grab	22	미끄러지다
11	whistle	23	톡톡 치다; 수도꼭지
12	shut		

24 with one's arms crossed

25 시야에서 벗어난

정답 p.283

STEP 2 제대로 적용하기

A 단어

주어진 단어를 의미에 맞게 바꿔 쓰시오.

01 appear → 외모, 겉모습 ______________

02 react → 반응 ______________

03 press → 압력 ______________

04 disabled → 장애 ______________

B 구

우리말 의미에 맞게 빈칸에 알맞은 말을 쓰시오.

01 호루라기를 불다 blow a ______________

02 첫눈에 at first ______________

03 뇌세포 a brain ______________

04 경기 침체 economic ______________

05 정신 건강 ______________ health

C 문장

보기에서 알맞은 말을 골라 문장을 완성하시오.

보기	pale	shut	breathe	crossed	stare

01 Close your eyes and ______________ deeply.

02 She turned ______________ when she saw the ghost.

03 Don't ______________ at me like that.

04 Please ______________ the door quietly.

05 Jenny sat on the chair with her arms ______________.

DAY

05 교류와 관계

들으며 외우기

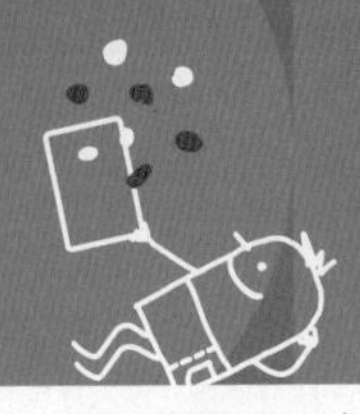

어휘력 UPGRADE

01 **contact**
[kάntækt]

명 연락, 접촉 동 연락하다

He doesn't have much **contact** with his family. 그는 가족들과 **연락**을 많이 하지 않는다.

You can **contact** me anytime.
언제든지 나한테 **연락해도** 돼.

---

02 **encourage**
[inkə́:ridʒ]

동 격려하다, 용기를 주다

We **encouraged** each other with kind words.
우리는 다정한 말로 서로를 **격려했다**.

반의어 discourage 낙담시키다

en(~하게 하다) + courage(용기)

---

03 **exchange**
[ikstʃéindʒ]

동 교환하다, 주고받다
명 1. 교환, 주고받음 2. 환전

They **exchanged** phone numbers.
그들은 전화번호를 **주고받았다**.

She is an **exchange** student from Canada.
그녀는 캐나다에서 온 **교환**학생이다.

⊕ the **exchange** rate 환율

---

04 **attract**
[ətrǽkt]

동 (마음·흥미를) 끌다, 끌어들이다

Her bright and warm smile **attracted** me.
그녀의 밝고 따뜻한 미소가 나를 **끌리게 했다**.

attractive 형 매력적인

---

05 **accompany**
[əkʌ́mpəni]

동 동행하다, 함께 가다

He **accompanied** me to the hospital.
그는 병원에 나와 **함께 갔다**.

---

06 **invitation**
[ìnvitéiʃən]

명 초대(장), 초청

I accepted their **invitation** to dinner.
나는 그들의 저녁식사 **초대**에 응했다.

⊕ accept an **invitation** 초대에 응하다

invite 동 초대하다

어휘력 UPGRADE

07 **reputation**
[rèpjutéiʃən]

명 **평판, 명성**

She has the **reputation** of being a good doctor.
그녀는 좋은 의사라는 **평판**을 받고 있다.

---

08 **arrange**
[əréindʒ]

동 **1. 배열[정리]하다 2.** (미리) **준비하다, 정하다**

The clothes are **arranged** according to color.
옷이 색깔별로 **정리되어 있다**.

Can I **arrange** an appointment for tomorrow?
내일로 약속을 **정할** 수 있을까요?

arrangement
명 배열, 정리

---

09 **praise**
[preiz]

동 **칭찬하다** 명 **칭찬, 찬사**

She tries to **praise** her children all the time.
그녀는 항상 아이들을 **칭찬하려고** 노력한다.

His movie has won high **praise** from the critics.
그의 영화는 비평가들로부터 많은 **찬사**를 받았다.

---

10 **grateful**
[gréitfl]

형 **고마워하는, 감사하는**

I'm **grateful** to my parents for their love and support. 나는 부모님의 사랑과 지원에 **감사하고** 있다.

시험 POINT grateful의 의미

밑줄 친 단어의 의미로 알맞은 것을 고르시오.

We are grateful for your help.

ⓐ careful ⓑ useful ⓒ thankful

우리는 너의 도움에 고마워하고 있다.
ⓐ 조심하는 ⓑ 유용한

정답 ⓒ

---

11 **assist**
[əsíst]

동 **돕다, 보조하다**

We'll **assist** you in choosing the right glasses.
우리는 당신이 알맞은 안경을 고를 수 있게 **도와줄** 것입니다.

assistance
명 도움, 지원
assistant
명 조수

---

12 **encounter**
[inkáuntər]

동 **1. 우연히 만나다, 마주치다**
2. (어려운 상황에) **부딪히다, 맞닥뜨리다**

My father **encountered** an old friend on the train. 아버지는 기차에서 옛 친구를 **우연히 만나셨다**.

We **encountered** a serious problem early in the project. 우리는 프로젝트 초기에 심각한 문제에 **부딪혔다**.

어휘력 UPGRADE

13 **sacrifice**
[sǽkrifais]

명 희생 동 희생하다

Have you ever made a **sacrifice** for someone else? 당신은 다른 누군가를 위해 **희생**한 적이 있나요?

She **sacrificed** a lot to be a writer.
그녀는 작가가 되기 위해 많은 것을 **희생했다**.

---

14 **disappoint**
[dìsəpɔ́int]

동 실망시키다

His new novel **disappointed** his readers.
그의 신작 소설은 독자들을 **실망시켰다**.

disappointment 명 실망, 낙심
disappointed 형 실망한

---

15 **insult**
동사 [insʌ́lt]
명사 [ínsʌlt]

동 모욕을 주다 (깔보고 욕되게 하다) 명 모욕, 무례한 말[행동]

Don't **insult** my family again.
다시는 나의 가족에게 **모욕을 주지** 마라.

His comments were an **insult** to my work.
그의 논평은 내 작품에 대한 **모욕**이었다.

---

16 **apologize**
[əpɑ́lədʒaiz]

동 사과하다, 사죄하다

I want to **apologize** to him for my behavior.
내 행동에 대해 그에게 **사과하고** 싶다.

apology 명 사과

시험 POINT apologize의 용법

네모 안에서 알맞은 것을 고르시오.
I think you should [apologize / apologize to] Nick.
나는 네가 Nick에게 사과해야 한다고 생각해.

'~에게 사과하다'는 apologize to로 쓴다.

정답 apologize to

---

17 **disturb**
[distə́ːrb]

동 방해하다

Don't **disturb** her while she is studying.
그녀가 공부하는 동안에는 그녀를 **방해하지** 마라.

---

18 **deceive**
[disíːv]

동 속이다, 기만하다 (남을 속여 넘기다)

They tried to **deceive** us, but we never trusted them.
그들은 우리를 **속이려고** 했지만 우리는 절대 그들을 믿지 않았다.

어휘력 UPGRADE

19 **recognize**
[rékəgnaiz]

동 1. 알아보다 2. 인정하다

I didn't **recognize** her at first.
나는 처음에 그녀를 **알아보지** 못했다.

The company **recognized** its mistake.
그 기업은 그들의 실수를 **인정했다**.

recognition
명 알아봄, 인정

---

20 **greet**
[griːt]

동 맞이하다, 인사하다

They **greeted** their guests at the door.
그들은 입구에서 손님들을 **맞이했다**.

greeting 명 인사

---

21 **hug**
[hʌg]
hugged-hugged

동 껴안다, 포옹하다

My father **hugged** me when I came back home.
내가 집에 돌아왔을 때 아버지가 나를 **껴안았다**.

---

22 **scold**
[skould]

동 (주로 아이를) 꾸짖다, 혼내다

The teacher **scolded** the student for being late.
교사는 지각한 것에 대해 그 학생을 **혼냈다**.

---

23 **faith**
[feiθ]

명 신뢰, 믿음

The players have **faith** in their coach.
그 선수들은 코치에 대한 **신뢰**가 있다.

⊕ have **faith** in ~에 대한 신뢰가 있다, ~을 믿다

faithful 형 충실한

교과서 필수 암기 숙어

24 **keep one's fingers crossed**

행운을 빌다

I will **keep my fingers crossed** for you.
널 위해 **행운을 빌어줄게**.

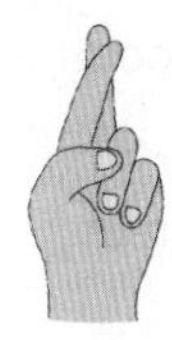

---

25 **in return**

보답으로, 답례로

I bought Jack lunch **in return** for his help.
나는 도움에 대한 **보답으로** Jack에게 점심을 샀다.

Daily Test

STEP 1 빈틈없이 확인하기

[01-25] 영어는 우리말로, 우리말은 영어로 쓰시오.

01 encourage

02 attract

03 accompany

04 arrange

05 encounter

06 grateful

07 sacrifice

08 apologize

09 disturb

10 deceive

11 scold

12 greet

13 연락, 접촉; 연락하다

14 교환하다; 교환, 환전

15 초대, 초청

16 평판, 명성

17 칭찬하다; 칭찬

18 돕다, 보조하다

19 실망시키다

20 모욕을 주다; 모욕

21 신뢰, 믿음

22 껴안다, 포옹하다

23 알아보다, 인정하다

24 keep one's fingers crossed

25 보답으로, 답례로

정답 p.283

STEP 2 제대로 적용하기

A 단어

주어진 단어를 의미에 맞게 바꿔 쓰시오.

01 attract → 매력적인 ____________

02 faith → 충실한 ____________

03 assist → 도움, 지원 ____________

04 apologize → 사과 ____________

05 disappoint → 실망, 낙심 ____________

B 구

우리말 의미에 맞게 빈칸에 알맞은 말을 쓰시오.

01 ~와 연락하다 have ____________ with

02 환율 the ____________ rate

03 초대에 응하다 accept an ____________

04 서로를 격려하다 ____________ each other

05 행운을 빌다 keep one's fingers ____________

C 문장

빈칸에 알맞은 말을 넣어 문장을 완성하시오.

01 I will ____________ you to the station. 내가 역까지 너와 함께 갈게.

02 It's important to ____________ children. 아이를 칭찬하는 것은 중요하다.

03 I'm very ____________ for your kindness.
나는 당신의 친절에 무척 감사하고 있다.

04 He asked for nothing ____________ ____________.
그는 보답으로 아무것도 요구하지 않았다.

05 I think you should ____________ to Judy first.
나는 네가 먼저 Judy에게 사과해야 한다고 생각해.

내신 대비 어휘 Test

PART 1

01 짝지어진 두 단어의 관계가 나머지와 다른 하나는?

① careful – careless
② mental – physical
③ scare – frighten
④ positive – negative
⑤ encourage – discourage

02 빈칸에 공통으로 들어갈 말로 알맞은 것은?

DAY 02 시험 POINT

- 'Amor' ___________ 'love' in Spanish.
- Email is an effective ___________ of communication.

① means
② reacts
③ charms
④ requests
⑤ mentions

03 다음 영영풀이에 해당하는 단어로 알맞은 것은?

to tell someone you're sorry because you did something wrong

① insult
② disturb
③ arrange
④ deceive
⑤ apologize

04 밑줄 친 부분의 의미가 올바르지 않은 것은?

① I don't like a selfish person. (이기적인)
② I lost the game on purpose. (실수로)
③ The boy looks up to his father. (~를 존경하다)
④ The accident was reported in the local press. (신문)
⑤ We were all exhausted after the long journey. (기진맥진한)

정답 p.284

05 밑줄 친 단어와 바꿔 쓸 수 있는 것은? DAY 01 시험 POINT

She is anxious about traveling alone.

① proud ② worried ③ desperate
④ ashamed ⑤ jealous

06 밑줄 친 단어의 쓰임이 어색한 것은? DAY 01, 04 시험 POINT

① Judy is indifferent to other people.
② I remember exactly what you said.
③ Close your eyes and breath deeply.
④ We are confident of our success.
⑤ I'd like to make a complaint about poor service.

07 〈보기〉의 단어를 이용하여 문장을 완성하시오.

서술형

보기 sense please invite

(1) It's a ______________ to meet you.
(2) I politely refused his ______________.
(3) A baby's skin is very ______________.

08 우리말과 일치하도록 〈조건〉에 맞게 문장을 완성하시오. DAY 02 시험 POINT

서술형

자기 전에 너무 많이 먹는 것을 피해야 한다.

→ You should ______________________________ before going to bed.

조건 1. eat, avoid, too much를 사용할 것
2. 필요시 단어를 알맞은 형태로 바꿀 것

PART 2

DAY 06 일상과 의복

DAY 07 음식

DAY 08 질병과 의료

DAY 09 돈과 소비

DAY 10 회사

DAY
06 일상과 의복

들으며 외우기

어휘력 UPGRADE

01 **routine** [ru:tí:n]

명 (규칙적인) **일상, 정해진 순서**

Jogging is part of my daily **routine**.
조깅은 나의 **일상**의 일부이다.

02 **household** [háushould]

명 (한 가족이 생활하는) **가정, 가구** 형 **가정의**

Most **households** have more than one television.
대부분의 **가정**에서 한 대 이상의 텔레비전을 가지고 있다.

⊕ **household** products 가정 용품

03 **balance** [bǽləns]

명 **균형** 동 **균형을 잡다[유지하다]**

Try to keep a **balance** between work and life.
일과 삶 사이의 **균형**을 유지하도록 노력해라.

She is trying to **balance** on one leg.
그녀는 한 다리로 **균형을 잡으려고** 노력하고 있다.

04 **neat** [ni:t]

형 **정돈된, 단정한**

I always keep my room **neat** and tidy.
나는 항상 내 방을 **정돈되고** 깔끔한 상태로 유지한다.

05 **decorate** [dékəreit]

동 **장식하다, 꾸미다**

We **decorated** the room with flowers and balloons. 우리는 그 방을 꽃과 풍선으로 **장식했다**.

decoration 명 장식(품)

06 **responsible** [rispánsəbl]

형 **책임이 있는**

Parents are **responsible** for raising their children. 부모는 그들의 자녀를 양육할 **책임이 있다**.

⊕ be **responsible** for ~에 책임이 있다

responsibility 명 책임

어휘력 UPGRADE

07 **switch**
[switʃ]

명 **스위치** 동 **전환하다, 바꾸다**

Press the **switch** on the wall to open the door.
그 문을 열려면 벽에 있는 **스위치**를 누르세요.

He decided to **switch** jobs.
그는 직업을 **바꾸기로** 결심했다.

⊕ **switch** on[off] 스위치를 켜다[끄다]

시험 POINT switch의 의미

〈보기〉에서 밑줄 친 단어의 의미를 고르시오.

보기 ⓐ 스위치 ⓑ 바꾸다

1. It's too late to switch the dates.
2. I can't find the light switch.

1. 날짜를 바꾸기에는 너무 늦었다.
2. 난 전등 스위치를 못 찾겠어.

정답 1. ⓑ 2. ⓐ

08 **chore**
[tʃɔːr]

명 (정기적으로 하는) **일, 허드렛일**

I spent two hours doing household **chores**.
나는 집안**일**을 하면서 두 시간을 보냈다.

⊕ do household **chores** 집안일을 하다

chore의 ch는 [tʃ] 발음이에요.

09 **container**
[kəntéinər]

명 **1. 그릇, 용기** 2. (화물용) **컨테이너**

I put the cake in a plastic **container**.
나는 그 케이크를 플라스틱 **용기**에 담았다.

⊕ a **container** ship 컨테이너 수송선

contain
동 포함하다, 담다

10 **spill**
[spil]

동 (액체를) **쏟다, 쏟아지다** 명 **유출** (밖으로 흘러나감)

Jennifer **spilled** her coffee on the carpet.
Jennifer는 카펫 위에 커피를 **쏟았다**.

The oil **spill** killed a number of seabirds.
기름 **유출**은 수많은 바닷새들을 죽게 했다.

11 **deliver**
[dilívər]

동 **1. 배달하다** 2. (연설·강연을) **하다**

We can **deliver** your order within two days.
우리는 주문하신 것을 이틀 안에 **배송할** 수 있습니다.

The scientist **delivered** a speech on climate change. 그 과학자는 기후 변화에 대한 연설을 **했다**.

delivery 명 배달

어휘력 UPGRADE

12 **stain**
[stein]

명 얼룩

There is a **stain** on your shirt. 네 셔츠에 **얼룩**이 있다.

---

13 **pillow**
[pílou]

명 베개

My sister hugs her **pillow** when sleeping.
내 여동생은 잘 때 **베개**를 끌어안는다.

---

14 **casual**
[kǽʒuəl]

형 평상시의, 격식을 차리지 않는

He prefers **casual** clothes like jeans.
그는 청바지와 같은 **평상**복을 선호한다.

반의어 formal
격식을 차린

---

15 **suitable**
[súːtəbl]

형 적절한, 알맞은

These clothes aren't **suitable** for a funeral.
이 옷은 장례식에 **적절하지** 않다.

반의어 unsuitable
적절하지 않은

---

16 **fashionable**
[fǽʃənəbl]

형 유행하는, 유행을 따르는

Big sunglasses became **fashionable** again.
큰 선글라스가 다시 **유행이 되었다**.

fashion 명 유행

---

17 **mend**
[mend]

동 수리[수선]하다, 고치다

My mother used to **mend** my clothes.
엄마는 내 옷을 **수선해** 주시곤 했다.

유의어 repair

---

18 **fabric**
[fǽbrik]

명 천, 직물 (옷이나 커튼 등을 만드는 재료)

I want to buy some **fabric** to make curtains.
커튼을 만들 **천**을 좀 사고 싶어요.

---

19 **thread**
[θred]

명 실

I need a needle and some **thread** to mend it.
그것을 수선하려면 바늘과 **실**이 필요하다.

⊕ a needle and **thread** 바늘과 실

thread의 th[θ] 발음에 유의하세요.

20 **dye**
[dai]

동 **염색하다** 명 **염료, 물감**

I want to **dye** my T-shirt. 나의 티셔츠를 **염색하고** 싶다.

⊕ hair **dye** 머리 염색약

어휘력 UPGRADE
dye는 die(죽다)와 발음이 같아요.

---

21 **leather**
[léðər]

명 **가죽**

She wears her black **leather** jacket almost every day. 그녀는 검정색 **가죽** 재킷을 거의 매일 입는다.

---

22 **rubber**
[rʌ́bər]

명 **고무**

My rain boots are made from natural **rubber**.
내 장화는 천연 **고무**로 만들어졌다.

---

23 **waterproof**
[wɔ́:tərpru:f]

형 **방수의** (물이 스며드는 것을 막아주는)

You'll need a **waterproof** jacket for camping.
캠핑을 하려면 **방수** 재킷이 필요할 거야.

water(물)+proof(~을 막아주는)

교과서 필수 암기 숙어

24 **dress up**

1. 차려입다 2. 분장하다

You don't need to **dress up** for the party.
그 파티를 위해 **차려입을** 필요는 없어.

The boy **dressed up** as a ghost on Halloween.
그 소년은 핼러윈 때 유령으로 **분장했다**.

---

25 **tell ~ apart**

구별하다, 분간하다 (차이에 따라 나누다)

I can't **tell** these puppies **apart**.
나는 이 강아지들을 **구별할** 수가 없다.

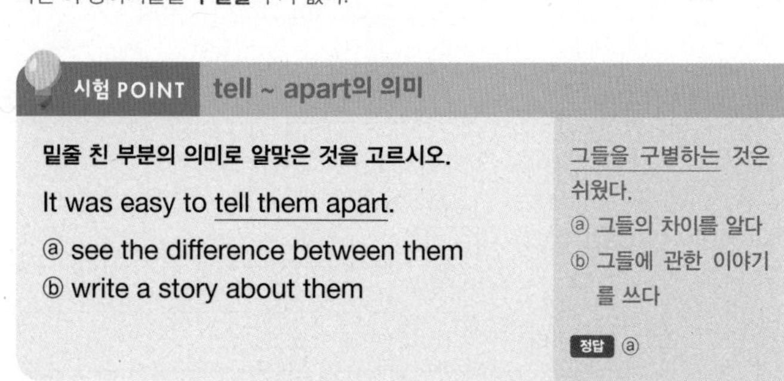
시험 POINT **tell ~ apart의 의미**

밑줄 친 부분의 의미로 알맞은 것을 고르시오.

It was easy to tell them apart.

ⓐ see the difference between them
ⓑ write a story about them

그들을 구별하는 것은 쉬웠다.
ⓐ 그들의 차이를 알다
ⓑ 그들에 관한 이야기를 쓰다

정답 ⓐ

Daily Test

STEP 1 빈틈없이 확인하기

[01-25] 영어는 우리말로, 우리말은 영어로 쓰시오.

01 household

02 neat

03 chore

04 container

05 stain

06 pillow

07 casual

08 fashionable

09 mend

10 thread

11 rubber

12 waterproof

13 일상, 정해진 순서

14 균형; 균형을 잡다

15 장식하다, 꾸미다

16 책임이 있는

17 스위치; 전환하다

18 (액체를) 쏟다; 유출

19 배달하다

20 적절한, 알맞은

21 천, 직물

22 가죽

23 염색하다; 염료

24 tell ~ apart

25 차려입다, 분장하다

정답 p.284

STEP 2 제대로 적용하기

A 단어

주어진 단어를 의미에 맞게 바꿔 쓰시오.

01 decorate → 장식(품) ______________

02 deliver → 배달 ______________

03 fashion → 유행하는 ______________

B 구

우리말 의미에 맞게 빈칸에 알맞은 말을 쓰시오.

01 가정 용품 ______________ products

02 컨테이너 수송선 a ______________ ship

03 바늘과 실 a needle and ______________

04 머리 염색약 hair ______________

05 방수 재킷 a ______________ jacket

06 평상복 ______________ clothes

C 문장

보기에서 알맞은 말을 골라 문장을 완성하시오.

보기	suitable	apart	responsible	switch	balance

01 Parents are ______________ for their children's behavior.

02 ______________ off the light when you leave the room.

03 This park is a ______________ place for a picnic.

04 She is trying to keep a ______________ between work and family.

05 It's very hard to tell the twins ______________.

DAY 07

음식

들으며 외우기

어휘력 UPGRADE

01 **nutrition** [njuːtríʃən]

명 영양 (섭취)

Good **nutrition** is essential to good health.
충분한 **영양 섭취**는 건강에 필수적이다.

nutritious 형 영양가가 높은

---

02 **lack** [læk]

명 부족, 결핍 (없거나 부족한 상태) 동 ~이 없다, 부족하다

A **lack** of vitamins can cause problems with your body. 비타민의 **부족**은 신체에 문제를 일으킬 수 있다.

Many people **lack** confidence in their abilities.
많은 사람들이 자신의 능력에 대한 자신감이 **부족하다**.

---

03 **digest** [daidʒést]

동 소화하다

Milk is hard to **digest** for some people.
어떤 사람들에게 우유는 **소화하기** 어렵다.

digestion 명 소화

---

04 **skip** [skip] skipped-skipped

동 1. 거르다, 빼먹다 2. 깡충깡충 뛰다

She often **skips** dinner in order to lose weight.
그녀는 살을 빼기 위해 종종 저녁 식사를 **거른다**.

The children are **skipping** in the playground.
아이들이 운동장에서 **깡충깡충 뛰고** 있다.

---

05 **thirst** [θəːrst]

명 목마름, 갈증

Kevin had a terrible **thirst** after running a marathon.
Kevin은 마라톤을 뛰고 난 후에 엄청난 **갈증**을 느꼈다.

thirsty 형 목이 마른, 갈증이 나는

---

06 **benefit** [bénəfit]

명 혜택, 이득

There are many health **benefits** of honey.
꿀에는 많은 건강상의 **이점**이 있다.

beneficial 형 이로운, 유익한

어휘력 UPGRADE

07 **bitter** [bítər]

형 (맛이) 쓴

Dark chocolate tastes **bitter**.
다크초콜릿은 **쓴**맛이 난다.

08 **sour** [sauər]

형 (맛이) **신, 시큼한**

These grapes are really **sour**. 이 포도는 정말 **시다**.

09 **awful** [ɔ́:fəl]

형 **끔찍한, 지독한**

The soup smelled good but tasted **awful**.
그 수프는 냄새는 좋았지만 **끔찍한** 맛이 났다.

awfully 부 몹시

10 **prefer** [prifə́:r]

동 **선호하다, 더 좋아하다**

I **prefer** bread to rice for breakfast.
나는 아침 식사로 밥보다 빵을 **선호한다**.

+ **prefer** *A* to *B* B보다 A를 선호하다

preference 명 선호

시험 POINT prefer *A* to *B*

네모 안에서 알맞은 것을 고르시오.

He prefers walking to [drive / driving].
그는 운전하는 것보다 걷는 것을 선호한다.

「prefer A to B」에서 A와 B의 형태는 같아야 한다.

정답 driving

11 **source** [sɔ:rs]

명 1. **원천, 근원** (사물·사건이 생기는 곳) 2. **출처**

Yogurt is a good **source** of calcium and protein. 요거트는 칼슘과 단백질의 좋은 **원천**이다.

What's the **source** of the information?
그 정보의 **출처**가 어디인가요?

12 **contain** [kəntéin]

동 **포함하다, 들어 있다**

This drink doesn't **contain** any sugar.
이 음료에는 설탕이 전혀 **들어 있지** 않다.

어휘력 UPGRADE

13 **instead**
[instéd]

부 대신에

I didn't have butter, so I used margarine **instead.** 나는 버터가 없어서 **대신에** 마가린을 이용했다.

---

14 **variety**
[vəráiəti]

명 1. 여러 가지, 갖가지 2. 다양성

There is a **variety** of seafood on the menu.
메뉴에는 **여러 가지** 해산물 요리가 있다.

It is important to have **variety** in your diet.
식단에 **다양성**을 갖는 것은 중요하다.

⊕ a **variety** of 여러 가지의, 다양한

various 형 다양한

---

15 **flavor**
[fléivər]

명 맛, 풍미 (맛의 풍부함)

Garlic adds **flavor** to Korean food.
마늘은 한국 음식에 **풍미**를 더해준다.

Which **flavor** would you like, chocolate or cherry? 초콜릿과 체리 중 어떤 **맛**으로 드릴까요?

---

16 **ingredient**
[ingríːdiənt]

명 재료, 성분

Mix all the **ingredients** in a large bowl.
큰 그릇에 모든 **재료**를 섞으세요.

ingredient는 요리 재료를 말할 때 자주 쓰여요.

---

17 **local**
[lóukəl]

형 (특정) 지역의, 현지의 명 지역 주민, 현지인

The chef loves to use **local** ingredients.
그 요리사는 **현지의** 식재료를 사용하는 것을 좋아한다.

The beach is popular with **locals.**
그 해변은 **지역 주민들**에게 인기 있다.

---

18 **raw**
[rɔː]

형 날것의, 익히지 않은

He doesn't eat **raw** fish. 그는 **날**생선을 먹지 않는다.

---

19 **instant**
[ínstənt]

형 1. 인스턴트의 2. 즉시의, 즉각적인

She doesn't like **instant** coffee.
그녀는 **인스턴트** 커피를 좋아하지 않는다.

⊕ an **instant** success 즉각적인 성공

instantly
부 즉시, 바로

어휘력 UPGRADE

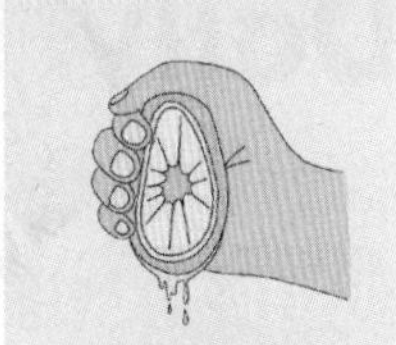

20 **squeeze**
[skwiːz]

동 1. 꽉 쥐다 2. (액체를) 짜내다

He looked at me and **squeezed** my hand.
그는 나를 쳐다보면서 내 손을 **꽉 쥐었다**.

I **squeezed** the lemons to make lemonade.
나는 레모네이드를 만들기 위해 레몬을 **짜냈다**.

---

21 **paste**
[peist]

명 반죽 동 (풀로) 붙이다

Mix the flour with warm water to make a **paste**.
반죽을 만들기 위해 밀가루를 따뜻한 물과 섞으세요.

I need glue to **paste** the poster on the wall.
포스터를 벽에 **붙이려면** 풀이 필요해.

---

22 **rotten**
[rάtn]

형 썩은, 부패한

The apples in the basket are all **rotten**.
바구니에 들어 있는 사과들이 모두 **썩었다**.

rot 동 썩다

---

23 **leftover**
[léftouvər]

명 남은 음식

Keep the **leftovers** in the refrigerator.
남은 음식은 냉장고에 보관하세요.

교과서 필수 암기 숙어

24 **go on a diet**

다이어트를 하다, 식이요법을 하다

The doctor advised me to **go on a diet**.
의사는 나에게 **다이어트를 하라고** 권고했다.

---

25 **be concerned about**

~에 대해 걱정[염려]하다

Jack **is** always **concerned about** his mother's health.
Jack은 항상 어머니의 건강**에 대해 걱정한다**.

시험 POINT be concerned about의 의미

밑줄 친 단어의 의미로 알맞은 것을 고르시오.

Many people are concerned about global warming.

ⓐ worried ⓑ interested ⓒ angry

많은 사람들이 지구 온난화에 대해 염려한다.
ⓑ 흥미 있는 ⓒ 화난

정답 ⓐ

Daily Test

STEP 1 빈틈없이 확인하기

[01-25] 영어는 우리말로, 우리말은 영어로 쓰시오.

01 nutrition

02 skip

03 instead

04 bitter

05 awful

06 paste

07 squeeze

08 benefit

09 ingredient

10 instant

11 rotten

12 leftover

13 부족, 결핍; 부족하다

14 소화하다

15 목마름, 갈증

16 (맛이) 신, 시큼한

17 포함하다, 들어 있다

18 맛, 풍미

19 여러 가지, 다양성

20 현지의; 지역 주민

21 날것의, 익히지 않은

22 원천, 근원, 출처

23 선호하다

24 be concerned about

25 다이어트[식이요법]를 하다

정답 p. 285

STEP 2 제대로 적용하기

A 단어

주어진 단어를 의미에 맞게 바꿔 쓰시오.

01 digest → 소화 ____________

02 thirst → 목이 마른 ____________

03 awful → 몹시 ____________

04 beneficial → 혜택, 이득 ____________

05 rot → 썩은, 부패한 ____________

B 구

우리말 의미에 맞게 빈칸에 알맞은 말을 쓰시오.

01 비타민 부족 a ____________ of vitamins

02 정보의 출처 a ____________ of information

03 현지의 식재료 ____________ ingredients

04 즉각적인 성공 an ____________ success

05 날생선 ____________ fish

C 문장

보기에서 알맞은 말을 골라 문장을 완성하시오.

보기	prefer	instead	concerned	variety	diet

01 If you can't attend the meeting, I can go ____________.

02 We planted a ____________ of flowers in the garden.

03 I ____________ cake to fruit for dessert.

04 He decided to go on a ____________ to lose weight.

05 She is ____________ about the results of the exam.

DAY 08

질병과 의료

듣으며 외우기

어휘력 UPGRADE

01 **medical** [médikəl]

형 의학의, 의료의

Emily went to **medical** school to become a doctor. Emily는 의사가 되기 위해 **의과** 대학에 갔다.

+ **medical** care 의료 관리, 치료

---

02 **condition** [kəndíʃən]

명 1. 상태 2. 상황, 환경 3. 조건

The doctors say his **condition** is improving.
의사들은 그의 **상태**가 호전되고 있다고 말한다.

They're working under dangerous **conditions**.
그들은 위험한 **환경**에서 일하고 있다.

The company finally agreed to our **conditions**.
그 회사는 결국 우리의 **조건**에 동의했다.

몸의 상태나 기분 등을 말할 때 '컨디션이 좋다 또는 나쁘다'라는 표현을 사용해요.

---

03 **illness** [ílnis]

명 병, 아픔

The virus can cause **illness** in people.
그 바이러스는 인간에게 **질병**을 유발할 수 있다.

ill 형 병든, 아픈

---

04 **necessary** [nésəseri]

형 필요한, 필수적인

Good sleep is **necessary** for your health.
충분한 수면은 건강을 위해 **필수적이다**.

---

05 **symptom** [símptəm]

명 증상 — 병에 걸렸을 때 나타나는 상태

A runny nose is a common **symptom** of a cold.
콧물은 감기의 흔한 **증상**이다.

---

06 **severe** [sivíər]

형 심각한, 심한

The actor's injuries were **severe**.
그 배우의 부상은 **심각했다**.

severely 부 심하게

어휘력 UPGRADE

07 **treatment** [trí:tmənt]

명 1. 치료(법) 2. 대우

What's the best **treatment** for a cold?
감기의 최고의 **치료법**은 무엇인가요?

I never ask for special **treatment**.
나는 절대 특별한 **대우**를 요구하지 않는다.

treat
동 치료하다, 대하다

---

08 **consult** [kənsʌ́lt]

동 상담하다

If your headache continues, **consult** your doctor. 두통이 계속되면 의사와 **상담하세요**.

consultant
명 상담가, 자문 위원

---

09 **risk** [risk]

명 위험, 위험 요소

Regular exercise can reduce the **risk** of heart disease. 규칙적인 운동은 심장병의 **위험**을 줄일 수 있다.

risky 형 위험한

---

10 **harm** [hɑːrm]

명 해, 피해 동 해치다, 해를 끼치다

Certain chemicals can cause **harm** to animals.
어떤 화학 물질은 동물에게 **해**를 끼칠 수 있다.

Using plastics **harms** the environment.
플라스틱 사용은 환경을 **해친다**.

harmful 형 해로운

---

11 **ease** [iːz]

동 (고통을) 덜어주다 명 쉬움

The medicine will **ease** the pain in your leg.
그 약이 네 다리의 통증을 **덜어줄** 것이다.

The girl solved the math problem with **ease**.
그 여자아이는 그 수학 문제를 **쉽게** 풀었다.

⊕ with **ease** 쉽게(= easily)

easy 형 쉬운

---

12 **aim** [eim]

명 목적, 목표

The **aim** of the treatment is to remove cancer cells. 그 치료의 **목적**은 암세포를 제거하는 것이다.

시험 POINT aim의 의미

밑줄 친 단어의 의미로 알맞은 것을 고르시오.

My aim is to win an Olympic medal.

ⓐ plan ⓑ advice ⓒ goal

나의 목표는 올림픽 메달을 따는 것이다.
ⓐ 계획 ⓑ 조언

정답 ⓒ

어휘력 UPGRADE

13 **conscious**
[kɑ́nʃəs]

형 1. 의식이 있는 2. 알고 있는, 자각하는 (스스로 깨닫는)

The patient was **conscious** when the doctor arrived. 의사가 도착했을 때 그 환자는 **의식이 있었다**.

He is **conscious** of his mistakes.
그는 자신의 실수를 **알고 있다**.

⊕ be **conscious** of ~을 알고 있다

반의어 unconscious 의식을 잃은

---

14 **infection**
[infékʃən]

명 감염, 전염(병)

Wash your hands frequently to prevent **infection**. **감염**을 예방하기 위해 손을 자주 씻어라.

infect 동 감염시키다

---

15 **immune**
[imjú:n]

형 면역력이 있는 (질병이나 감염을 막아내는)

Some people are **immune** to the virus.
어떤 사람들은 그 바이러스에 **면역력이 있다**.

---

16 **wound**
[wu:nd]

명 상처, 부상

He had a deep **wound** in his shoulder.
그는 어깨에 깊은 **상처**가 났다.

wounded 형 부상을 입은, 다친

---

17 **cure**
[kjuər]

명 치료(법), 치료제 동 치료하다, 고치다

There is still no **cure** for the disease.
그 병에는 아직 **치료제**가 없다.

We hope he will be **cured** soon.
우리는 그가 빨리 **치료되기를** 바란다.

---

18 **recover**
[rikʌ́vər]

동 회복하다 (원래의 상태로 돌아가다)

Alex needs time to **recover** from the surgery.
Alex가 수술에서 **회복하려면** 시간이 필요하다.

⊕ **recover** from ~에서 회복하다

recovery 명 회복

시험 POINT recover의 용법

네모 안에서 알맞은 것을 고르시오.

They tried to [recover / recover from] the accident.
그들은 사고에서 회복하기 위해 노력했다.

'~에서 회복하다'는 recover from으로 쓴다.

정답 recover from

어휘력 UPGRADE

19 **warn**
[wɔːrn]

동 경고하다, 주의를 주다

Doctors **warn** that smoking can cause serious illnesses.
의사들은 흡연이 심각한 질병을 일으킬 수 있다고 **경고한다**.

warning
명 경고, 주의

---

20 **fortunately**
[fɔ́ːrtʃənətli]

부 다행히도

Fortunately, no one was injured.
다행히도 아무도 다치지 않았다.

fortunate
형 다행한, 운 좋은
유의어 luckily

---

21 **insurance**
[inʃúərəns]

명 보험

It's necessary to have health **insurance**.
건강 **보험**에 가입하는 것은 필요하다.

+ car **insurance** 자동차 보험

---

22 **patient**
[péiʃənt]

명 환자 형 참을성[인내심] 있는

The hospital treats over 100 **patients** per day.
그 병원은 하루에 100명이 넘는 **환자**를 치료한다.

You have to be more **patient** now.
넌 지금 좀 더 **인내심을 가져야** 한다.

patience 명 참을성
반의어 impatient 성급한

---

23 **pharmacy**
[fáːrməsi]

명 약국

We can buy medicine at **pharmacies**.
우리는 **약국**에서 약을 살 수 있다.

pharmacist
명 약사

교과서 필수 암기 숙어

24 **count on**

믿다, 의지하다

You can **count on** me to help you.
내가 당신을 도울 거라고 **믿어도** 됩니다.

---

25 **as ~ as possible**

가능한 한 ~한[하게]

You should rest **as** much **as possible**.
당신은 **가능한 한 많이** 쉬어야 합니다.

Daily Test

STEP 1 빈틈없이 확인하기

[01-25] 영어는 우리말로, 우리말은 영어로 쓰시오.

01 illness

02 necessary

03 aim

04 severe

05 consult

06 conscious

07 infection

08 immune

09 cure

10 fortunately

11 insurance

12 pharmacy

13 의학의, 의료의

14 상태, 상황, 조건

15 증상

16 치료(법), 대우

17 위험, 위험 요소

18 해, 피해; 해치다

19 덜어주다; 쉬움

20 상처, 부상

21 회복하다

22 경고하다, 주의를 주다

23 환자; 참을성 있는

24 count on

25 가능한 한 ~한[하게]

정답 p.285

STEP 2 제대로 적용하기

A 단어

주어진 단어를 의미에 맞게 바꿔 쓰시오.

01 consult → 상담가 ______________

02 harm → 해로운 ______________

03 recover → 회복 ______________

04 patient → 참을성 ______________

05 risk → 위험한 ______________

B 구

우리말 의미에 맞게 빈칸에 알맞은 말을 쓰시오.

01 의료 관리 ______________ care

02 흔한 증상 a common ______________

03 자동차 보험 car ______________

04 감염을 예방하다 prevent ______________

05 쉽게 with ______________

C 문장

보기에서 알맞은 말을 골라 문장을 완성하시오.

보기	warn	possible	necessary	wound	aim

01 He had a severe ______________ in his leg.

02 Please call me as soon as ______________.

03 Water is ______________ for survival.

04 His ______________ in life is to earn a lot of money.

05 I tried to ______________ him, but he wouldn't listen.

DAY
09 돈과 소비

들으며 외우기

어휘력 UPGRADE

01 **consumer** [kənsúːmər]

명 소비자

A **consumer** is a person who buys goods or uses services.
소비자는 물건을 사거나 서비스를 이용하는 사람이다.

consume
동 소비하다

02 **expense** [ikspéns]

명 돈, 비용

We need to reduce our unnecessary **expenses**.
우리는 불필요한 **비용**을 줄일 필요가 있다.

⊕ living **expenses** 생활비

expensive 형 비싼

03 **reasonable** [ríːzənəbl]

형 1. 합리적인, 타당한 2. (가격이) 적당한
(이치에 맞는)

Your plan sounds **reasonable**.
너의 계획은 **타당하게** 들린다.

I think the price is **reasonable**.
내 생각에 그 가격은 **적당하다**.

reason
명 이유, 근거

04 **purchase** [pə́ːrtʃəs]

동 구입하다, 구매하다 명 구입, 구매

You can **purchase** the product from the website. 당신은 웹사이트에서 그 제품을 **구입할** 수 있다.

⊕ an online **purchase** 온라인 구매

05 **possess** [pəzés]

동 소유하다, 가지고 있다

The queen **possessed** a rare diamond.
여왕은 희귀한 다이아몬드를 **가지고 있었다**.

possession
명 소유, 소지품

s를 두 번씩 쓰는 것에 주의하세요.

시험 POINT possess의 용법

네모 안에서 알맞은 것을 고르시오.

He [possesses / is possessing] a sense of humor.
그는 유머감각을 가지고 있다.

'소유'의 의미를 나타내는 동사는 진행형으로 쓰지 않는다.

정답 possesses

어휘력 UPGRADE

06 **property** [prάpərti]

명 **재산, 소유물**

He left most of his **property** to his daughter.
그는 대부분의 **재산**을 딸에게 남겼다.

⊕ private[public] **property** 사유[공공] 재산

---

07 **necessity** [nəsésəti]

명 **필수품** (반드시 필요한 물건)

Food and clothing are **necessities** for life.
음식과 옷은 삶의 **필수품**이다.

necessary 형 필수적인

---

08 **tag** [tæg]

명 (표시를 위해 붙인) **꼬리표**

All the staff members have name **tags** on their uniforms. 모든 직원들은 유니폼에 이름**표**를 달고 있다.

⊕ a price **tag** 가격표

#을 써서 나타내는 해시태그(hashtag)는 정보를 끌어모으는(hash) 꼬리표(tag)라는 의미예요.

---

09 **refund** [rí:fʌnd]

명 **환불** 동 **환불하다**

Can I get a **refund**? **환불**받을 수 있나요?

The money will be **refunded** in full.
그 돈은 전액 **환불될** 것입니다.

---

10 **guarantee** [gæ̀rəntí:]

동 **보장하다** (책임지고 약속하다) 명 **보증(서)**

Going to college doesn't **guarantee** a good job.
대학에 가는 것이 좋은 직업을 **보장하지는** 않는다.

⊕ a money-back **guarantee** 환불 보증

마지막에 e를 두 번 쓰는 것에 주의하세요.

---

11 **option** [άpʃən]

명 **선택, 선택 사항**

There are various **options** available.
가능한 여러 가지 **선택 사항**이 있습니다.

optional 형 선택적인

---

12 **range** [reindʒ]

명 1. **다양성** 2. **범위** 동 (범위가) **걸쳐 있다**

The book deals with a **range** of topics.
그 책은 **다양한** 주제를 다루고 있다.

The house was out of our price **range**.
그 집은 우리가 생각하는 가격 **범위**에서 벗어났다.

Their ages **range** from 20 to 25.
그들의 나이는 20세에서 25세에 **걸쳐 있다**.

⊕ a **range** of 다양한

어휘력 UPGRADE

13 **select** [silékt]

동 선택하다, 선발하다 (골라서 뽑다)

You can **select** a product from our catalog.
당신은 우리의 카탈로그에서 상품을 **선택할** 수 있습니다.

유의어 choose
select는 좀 더 고심해서 최선의 것을 고른다는 의미를 나타내요.

---

14 **luxury** [lʌ́kʃəri]

명 호화로움, 사치(품), 고급 형 고급의, 값비싼

They are currently living a life of **luxury**.
그들은 지금 **호화로운** 삶을 살고 있다.

+ a **luxury** hotel 고급 호텔

luxurious
형 호화로운

---

15 **account** [əkáunt]

명 1. 계좌 2. (인터넷 등의) 계정 동 (이유를) 설명하다

I save money in my bank **account**.
나는 내 은행 **계좌**에 돈을 저축한다.

I have two email **accounts**.
나는 두 개의 이메일 **계정**을 가지고 있다.

How do you **account** for his behavior?
그의 행동을 어떻게 **설명하시겠어요**?

+ **account** for ~을 설명하다

은행, 인터넷, 이메일 등의 서비스를 이용하려면 account가 필요해요.

---

16 **saving** [séiviŋ]

명 1. 저축(한 돈) 2. 절약

He doesn't have any **savings**.
그는 **저축한 돈**이 전혀 없다.

+ a **saving** of 20% 20%의 절약

save
동 아끼다, 저축하다
'저축한 돈'을 나타낼 때는 복수형인 savings로 써요.

---

17 **credit** [krédit]

명 신용[외상] 거래

You can pay by **credit** card.
신용 카드로 지불할 수 있습니다.

---

18 **value** [vǽljuː]

명 (경제적) 가치, 중요성 동 중요하게 여기다

The **value** of the house has fallen.
그 집의 **가치**는 떨어졌다.

I've always **valued** honesty.
나는 항상 정직을 **중요하게 여겼다**.

valuable 형 귀중한

어휘력 UPGRADE

19 **income** [ínkʌm]

명 **소득, 수입** (벌어들이는 돈)

He has a high **income.** 그는 **수입**이 많다.

---

20 **allowance** [əláuəns]

명 **용돈**

My parents gave me a weekly **allowance**.
우리 부모님은 나에게 주 단위로 **용돈**을 주셨다.

allow
동 허락[허용]하다

---

21 **debt** [det]

명 **빚** (빌린 돈)

My first goal is to pay off my **debt** in a year.
나의 첫 번째 목표는 1년 안에 **빚**을 청산하는 것이다.

debt의 b는 묵음이에요.

---

22 **owe** [ou]

동 (돈을) **빚지다**

I **owe** my sister $100.
나는 언니에게 100달러를 **빚지고 있다**.

---

23 **sum** [sʌm]

명 **1. 액수, 금액 2. 합계**

The project will cost a large **sum** of money.
그 프로젝트에는 큰 **액수**의 돈이 들어갈 것이다.

⊕ the **sum** of *A* and *B* A와 B의 합계

교과서 필수 암기 숙어

24 **pay back**

(돈을) **갚다**

He promised to **pay back** the money as soon as possible. 그는 최대한 빨리 **돈을 갚겠다고** 약속했다.

---

25 **can't afford to**

~할 여유가 없다, ~할 형편이 아니다

I **can't afford to** buy those luxuries.
나는 그런 사치품을 살 **여유가 없다**.

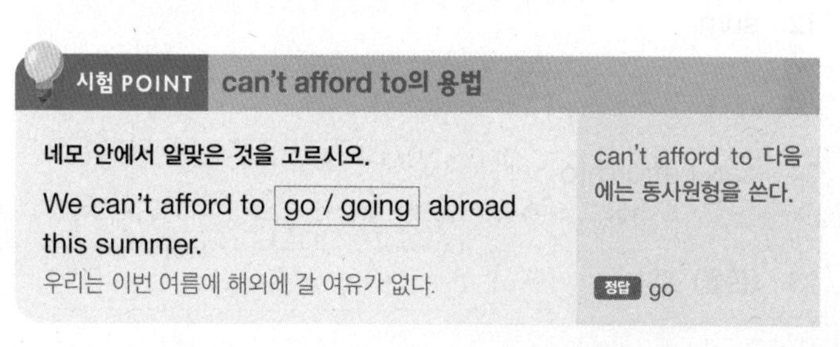
시험 POINT **can't afford to의 용법**

네모 안에서 알맞은 것을 고르시오.

We can't afford to [go / going] abroad this summer.
우리는 이번 여름에 해외에 갈 여유가 없다.

can't afford to 다음에는 동사원형을 쓴다.

정답 go

Daily Test

STEP 1 빈틈없이 확인하기

[01-25] 영어는 우리말로, 우리말은 영어로 쓰시오.

01 consumer
02 reasonable
03 necessity
04 possess
05 property
06 purchase
07 tag
08 saving
09 value
10 income
11 range
12 sum
13 돈, 비용
14 환불; 환불하다
15 보장하다; 보증(서)
16 선택, 선택 사항
17 빚
18 선택하다, 선발하다
19 호화로움, 사치; 고급의
20 계좌, 계정; 설명하다
21 신용 거래
22 용돈
23 (돈을) 빌리다
24 can't afford to
25 (돈을) 갚다

정답 p. 286

STEP 2 제대로 적용하기

A 단어

주어진 단어를 이용하여 바꿔 쓰시오.

01 expense → 비싼 ______________

02 reason → 합리적인, 적당한 ______________

03 value → 귀중한 ______________

04 option → 선택적인 ______________

05 necessary → 필수품 ______________

B 구

우리말 의미에 맞게 빈칸에 알맞은 말을 쓰시오.

01 은행 계좌 a bank ______________

02 사유 재산 private ______________

03 고급 호텔 a ______________ hotel

04 가격표 a price ______________

05 환불 보증 a money-back ______________

C 문장

보기에서 알맞은 말을 골라 문장을 완성하시오.

보기	purchase	range	afford	refund	allowance

01 You can get a ______________ because you didn't use it yet.

02 You can ______________ your tickets online.

03 The store sells a ______________ of household products.

04 I receive an ______________ of $5 a day from my parents.

05 He can't ______________ to buy a new computer.

DAY 10 회사

들으며 외우기

어휘력 UPGRADE

01 **professional** [prəféʃənəl]

형 1. 전문적인, 전문가의 2. 직업의, 프로의

We need **professional** advice.
우리는 **전문가의** 조언이 필요하다.

⊕ a **professional** baseball player 프로 야구선수

profession 명 직업
반의어 amateur 비전문가의

02 **expert** [ékspəːrt]

명 전문가

They worked with a computer **expert** to develop a program.
그들은 프로그램 개발을 위해 컴퓨터 **전문가**와 함께 일했다.

03 **capable** [kéipəbl]

형 1. 유능한 2. ~을 할 수 있는

Mr. Brown is a very **capable** doctor.
Brown 씨는 매우 **유능한** 의사이다.

I'm **capable** of doing it myself.
나는 그것을 직접 **할 수 있다**.

⊕ be **capable** of ~을 할 수 있다

시험 POINT be capable of의 용법

네모 안에서 알맞은 것을 고르시오.

He is capable [to do / of doing] the job.
그는 그 일을 할 수 있다.

be capable of 다음에는 -ing를 쓴다.

정답 of doing

04 **firm** [fəːrm]

명 회사 형 1. 단단한, 딱딱한 2. 확고한

She worked for a law **firm**. 그녀는 법률 **회사**에서 일했다.

I prefer a **firm** mattress. 나는 **딱딱한** 매트리스를 선호한다.

⊕ a **firm** decision 확고한 결심

05 **improve** [imprúːv]

동 개선하다, 향상시키다

We need to **improve** the work environment.
우리는 근무 환경을 **개선할** 필요가 있다.

improvement 명 향상, 개선

어휘력 UPGRADE

06 **secure** [sikjúər]

형 1. 안정된 2. 안전한

I want a **secure** job, not a temporary one.
나는 일시적인 것이 아닌 **안정된** 일자리를 원한다.

Keep the document in a **secure** place.
그 문서를 **안전한** 장소에 보관해라.

security 명 보안
유의어 safe 안전한

---

07 **employ** [implɔ́i]

동 고용하다 (직원을 쓰다)

The company **employs** over 200 people.
그 회사는 200명 넘게 **고용하고 있다**.

employment 명 고용
유의어 hire

---

08 **temporary** [témpəreri]

형 일시적인, 임시의

Jack is looking for some **temporary** work.
Jack은 **임시로 할** 일을 찾고 있다.

반의어 permanent 영구적인

---

09 **assign** [əsáin]

동 (일을) 맡기다, 할당하다 (몫을 나누어 주다)

The manager **assigned** tasks to the team members. 팀장은 팀원들에게 업무를 **맡겼다**.

assignment 명 배치, 과제

---

10 **quality** [kwɑ́ləti]

명 질, 품질

You should improve the **quality** of your work.
당신은 업무의 **질**을 향상시켜야 합니다.

⊕ high[good] **quality** 좋은 품질
low[poor] **quality** 나쁜 품질

'양'을 뜻하는 quantity와 헷갈리지 않도록 주의하세요.

---

11 **colleague** [kɑ́li:g]

명 (직장) 동료

Paul and I have been friends and **colleagues** for more than 10 years.
Paul과 나는 10년 넘게 친구이자 **동료**이다.

---

12 **manage** [mǽnidʒ]

동 1. 운영[관리]하다 2. (힘든 일을) 해내다

The hotel is **managed** by two brothers.
그 호텔은 두 형제에 의해 **운영된다**.

How did you **manage** to do that?
너는 어떻게 그것을 **해냈니**?

manager 명 운영자, 관리자
management 명 운영, 관리

어휘력 UPGRADE

13 **retire** [ritáiər]

동 은퇴하다, 퇴직하다

He **retired** from teaching last year.
그는 작년에 교직에서 **은퇴했다**.

retirement 명 은퇴

---

14 **outcome** [áutkʌm]

명 결과

We're expecting a positive **outcome** from the meeting. 우리는 그 회의에서 긍정적인 **결과**를 기대하고 있다.

---

15 **attach** [ətǽtʃ]

동 붙이다, 첨부하다 (문서 등을 덧붙이다)

I forgot to **attach** the file.
나는 파일을 **첨부하는** 것을 잊어버렸다.

attachment 명 첨부

---

16 **reward** [riwɔ́ːrd]

명 보상(금) 동 보상을 하다

You will get a **reward** if you work hard.
열심히 일하면 **보상**을 받을 것이다.

We'd like to **reward** the children for their efforts.
우리는 그 아이들의 노력에 대해 **보상하고** 싶다.

---

17 **cooperate** [kouάpəreit]

동 협력하다, 협동하다

The two companies agreed to **cooperate** with each other. 두 기업은 서로 **협력하는** 것에 동의했다.

cooperation 명 협력, 협동

co(함께) + operate(일하다)

---

18 **establish** [istǽbliʃ]

동 설립하다 (새로 만들어 세우다)

The company was **established** in 2000.
그 회사는 2000년에 **설립되었다**.

유의어 set up

일상생활에서는 establish보다 set up을 더 자주 써요.

---

19 **department** [dipάːrtmənt]

명 부서, (대학의) 과

We worked together in the sales **department**.
우리는 영업**부서**에서 함께 일했다.

⊕ the **department** of English literature 영문학과

20 require
[rikwáiər]

동 1. 필요로 하다 2. 요구하다

The job **requires** good communication skills.
그 일은 훌륭한 의사소통 기술을 **필요로 한다**.

Everyone is **required** to take a shower before entering the pool.
모든 사람은 수영장에 들어가기 전에 샤워를 하는 것이 **요구된다**.

⊕ be **required** to ~하도록 요구되다

어휘력 UPGRADE

requirement
명 필요조건, 요건

유의어
need 필요하다
demand 요구하다

시험 POINT require의 활용

네모 안에서 알맞은 것을 고르시오.

All visitors are [requiring / required] to wear a mask.
모든 방문객들은 마스크를 쓰는 것이 요구된다.

'~하도록 요구되다'는 be required to로 쓴다.

정답 required

---

21 labor
[léibər]

명 노동

A day's work consists of eight hours of **labor**.
하루의 일은 8시간의 **노동**으로 이루어진다.

---

22 document
[dákjument]

명 서류, 문서

Please read and sign the **document** below.
아래 **문서**를 읽고 서명해 주세요.

---

23 error
[érər]

명 실수, 오류

I found a lot of **errors** in his report.
나는 그의 보고서에서 많은 **오류**를 발견했다.

교과서 필수 암기 숙어

24 apply for

~에 지원하다, ~을 신청하다

I **applied for** a part-time job as a tour guide.
나는 관광 가이드 아르바이트**에 지원했다**.

⊕ **apply for** a passport 여권을 신청하다

---

25 generally speaking

일반적으로 말해서, 대체로

Generally speaking, the tasks are not difficult.
대체로 그 업무는 어렵지 않다.

Daily Test

STEP 1 빈틈없이 확인하기

[01-25] 영어는 우리말로, 우리말은 영어로 쓰시오.

01 professional

02 capable

03 secure

04 improve

05 assign

06 temporary

07 manage

08 outcome

09 error

10 department

11 require

12 labor

13 전문가

14 회사; 단단한, 확고한

15 고용하다

16 (직장) 동료

17 질, 품질

18 은퇴하다, 퇴직하다

19 붙이다, 첨부하다

20 보상(금); 보상하다

21 설립하다

22 협력[협동]하다

23 서류, 문서

24 apply for

25 일반적으로 말해서

정답 p.286

STEP 2 제대로 적용하기

A 단어

주어진 단어를 지시대로 바꿔 쓰시오.

01 amateur → 반의어 ______________

02 permanent → 반의어 ______________

03 set up → 유의어 ______________

04 hire → 유의어 ______________

B 구

우리말 의미에 맞게 빈칸에 알맞은 말을 쓰시오.

01 파일을 첨부하다 ______________ a file

02 컴퓨터 전문가 a computer ______________

03 확고한 결심 a ______________ decision

04 영문학과 the ______________ of English literature

05 좋은 품질 high ______________

C 문장

보기에서 알맞은 말을 골라 문장을 완성하시오.

보기	employ	retired	capable	apply	required

01 Some fish are ______________ of swimming long distances.

02 She ______________ from her job three years ago.

03 How many people does the company ______________?

04 All visitors are ______________ to turn off their cell phones.

05 Where can I ______________ for a passport?

내신 대비

어휘 Test

PART 2

01 짝지어진 두 단어의 관계가 나머지와 <u>다른</u> 하나는?

① deliver – delivery
② thirst – thirsty
③ treat – treatment
④ prefer – preference
⑤ digest – digestion

02 빈칸에 공통으로 들어갈 말로 알맞은 것은? DAY 06 시험 POINT

- Press the ___________ to turn off the light.
- He decided to ___________ jobs for a higher salary.

① tag
② option
③ range
④ switch
⑤ balance

03 밑줄 친 단어의 의미로 알맞은 것은? DAY 08 시험 POINT

The company's main <u>aim</u> is to increase sales in Europe.

① plan
② lack
③ income
④ risk
⑤ goal

04 빈칸에 들어갈 말이 순서대로 바르게 짝지어진 것은? DAY 08 시험 POINT

- She will soon recover ___________ her illness.
- I prefer rice ___________ noodles.
- Is this the place to apply ___________ a passport?

① for – to – at
② by – than – for
③ for – to – by
④ from – than – by
⑤ from – to – for

정답 p.287

05 밑줄 친 부분의 의미가 올바르지 않은 것은? DAY 06, 07 시험 POINT

① It's not easy to tell the twins apart. (구별하다)
② You can count on me for that matter. (믿다)
③ I will pay back the money within a week. (갚다)
④ Generally speaking, women live longer than men. (대체로)
⑤ She is concerned about her family. (~에 무관심하다)

06 밑줄 친 부분의 쓰임이 어색한 것은? DAY 09, 10 시험 POINT

① He passed the exam with ease.
② She can't afford to buy the expensive bag.
③ He retired from the company last year.
④ She is possessing the experience for this job.
⑤ He is capable of teaching English.

07 다음 영영풀이에 공통으로 해당하는 단어를 주어진 철자로 시작하여 쓰시오.

서술형

- a person who receives medical care at a hospital
- able to wait for a long time

p__________

08 우리말과 일치하도록 〈조건〉에 맞게 문장을 완성하시오. DAY 10 시험 POINT

서술형 모든 직원들은 그 회의에 참석하는 것이 요구된다.

→ All workers ______________________________ the meeting.

조건 1. require, attend를 사용할 것
2. 필요시 단어를 알맞은 형태로 바꿀 것

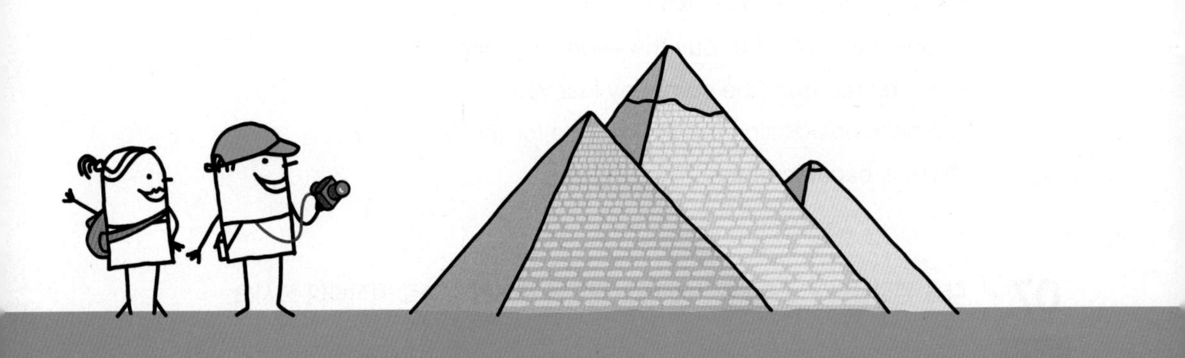

PART 3

DAY 11 인생

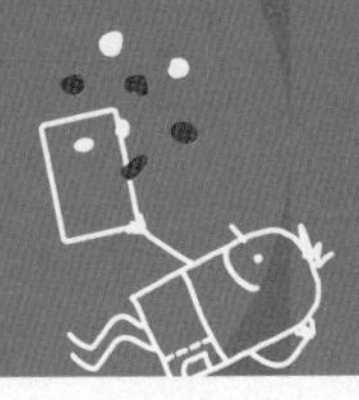

어휘력 UPGRADE

01 **opportunity** [ɑ̀pərtjú:nəti]

명 기회

It's a great **opportunity** to experience new things. 그것은 새로운 것들을 경험할 수 있는 훌륭한 **기회**이다.

유의어 chance

02 **ordinary** [ɔ́:rdəneri]

형 보통의, 평범한

Ordinary people can do extraordinary things.
보통 사람들도 비범한 일을 할 수 있다.

⊕ an **ordinary** day 평범한 날

반의어 extraordinary 비범한, 놀라운

03 **occupation** [ɑ̀kjupéiʃən]

명 직업

Please write your name and **occupation**.
당신의 이름과 **직업**을 쓰세요.

04 **wisdom** [wízdəm]

명 현명함, 지혜

She is a woman of great **wisdom**.
그녀는 굉장한 **지혜**를 가진 여성이다.

wise 형 현명한, 지혜로운

05 **essential** [isénʃəl]

형 필수적인, 중요한

Money is not **essential** to happiness.
돈은 행복에 있어 **필수적이지** 않다.

06 **fortune** [fɔ́:rtʃən]

명 1. 재산, 부 2. 운, 행운

He made a **fortune** from his invention.
그는 자신의 발명품으로 **재산**을 모았다.

I had the good **fortune** to pass the test.
나는 **운**이 좋아서 그 시험을 통과했다.

fortunate 형 운 좋은, 다행한

07 **aspect** [ǽspekt]

명 측면 (사물·현상의 한 부분)

Music affects many **aspects** of our lives.
음악은 우리 삶의 많은 **측면**에 영향을 미친다.

어휘력 UPGRADE

08 **success** [səksés]

명 성공, 성과

What's the secret of your **success**?
당신의 **성공** 비결은 무엇입니까?

succeed 동 성공하다
successful 형 성공적인

---

09 **failure** [féiljər]

명 실패

All her efforts ended in **failure**.
그녀의 모든 노력이 **실패**로 끝났다.

fail 동 실패하다
반의어 success 성공

---

10 **struggle** [strʌ́gl]

동 애쓰다, 발버둥치다 명 투쟁, 싸움

Many people **struggle** to achieve their goals.
많은 사람들이 그들의 목표를 이루기 위해 **애쓴다**.

The book is about India's **struggle** for independence. 그 책은 인도의 독립 **투쟁**에 대한 것이다.

---

11 **frustrate** [frʌ́streit]

동 좌절감을 주다

What he said really **frustrated** me.
그가 한 말이 나를 정말 **좌절시켰다**.

frustration 명 좌절

---

12 **overcome** [òuvərkʌ́m]
overcame-overcome

동 극복하다, 이겨내다

I want to **overcome** my fear of failure.
나는 실패에 대한 두려움을 **극복하고** 싶다.

---

13 **challenge** [tʃǽlindʒ]

명 도전 동 (경쟁·시합 등에) 도전하다

It is the biggest **challenge** of my life.
그것은 내 인생에서 가장 큰 **도전**이다.

He **challenged** me to a game of basketball.
그는 나에게 농구 시합을 하자고 **도전했다**.

시험 POINT 명사형과 동사형이 같은 단어

명사와 동사의 형태가 같은 단어를 모두 고르시오.

ⓐ fail ⓑ frustrate
ⓒ challenge ⓓ struggle

ⓐ fail - failure
ⓑ frustrate - frustration

정답 ⓒ, ⓓ

어휘력 UPGRADE

14 **relative**
[rélətiv]

명 친척 형 상대적인, 비교상의

I have no close **relatives.** 나는 가까운 **친척**이 없다.

The perception of beauty is **relative.**
미에 대한 인식은 **상대적이다.**

relatively
부 상대적으로, 비교적

---

15 **background**
[bǽkgraund]

명 배경

What's that in the **background** of the photo?
그 사진의 **배경**에 있는 것은 무엇인가요?

⊕ family **background** 가정 환경, 집안 배경

---

16 **pregnant**
[prégnənt]

형 임신한

She is **pregnant** with her second child.
그녀는 둘째 아이를 **임신하고** 있다.

pregnancy 명 임신

---

17 **mature**
[mətjúər]

형 1. 어른스러운 2. 다 자란, 성숙한

The boy is very **mature** for his age.
그 소년은 나이에 비해 매우 **어른스럽다.**

A **mature** elephant weighs around four tons.
다 자란 코끼리는 약 4톤의 무게가 나간다.

---

18 **adopt**
[ədɑ́pt]

동 1. 입양하다 2. (방법·정책 등을) 채택하다

The couple is hoping to **adopt** a child.
그 부부는 아이를 **입양하기를** 바라고 있다.

They decided to **adopt** a new policy.
그들은 새로운 정책을 **채택하기로** 결정했다.

adoption
명 입양, 채택

adapt(조정[적응]하다)와 헷갈리지 않도록 주의하세요.

---

19 **resemble**
[rizémbl]

동 닮다, 비슷하다

The twins don't **resemble** each other at all.
그 쌍둥이는 서로 전혀 **닮지** 않았다.

시험 POINT resemble의 용법

네모 안에서 알맞은 것을 고르시오.

Jake closely [resembles / resembles with] his father.
Jake는 그의 아버지와 많이 닮았다.

resemble 다음에는 전치사 없이 바로 목적어가 온다.

정답 resembles

어휘력 UPGRADE

20 **burden**
[bə́ːrdn]

명 **부담, 짐** 동 **부담을 주다**

The debt is a big **burden** on my family.
그 빚은 우리 가족에게 큰 **부담**이다.

I don't want to **burden** him with my troubles.
내 문제로 그에게 **부담을 주고** 싶지 않다.

---

21 **bury**
[béri]

동 (땅에) **묻다, 매장하다**

They **buried** the treasure in the ground.
그들은 땅속에 그 보물을 **묻었다**.

---

22 **funeral**
[fjúːnərəl]

명 **장례식**

We were dressed in black to attend the **funeral**.
우리는 **장례식**에 참석하기 위해 검은 옷을 입었다.

---

23 **destiny**
[déstəni]

명 **운명**

The decision has changed his **destiny**.
그 결정은 그의 **운명**을 바꾸었다.

유의어 fate

교과서 필수 암기 숙어

24 **put off**

(일정을) **미루다, 연기하다**

They decided to **put off** their wedding until next year.
그들은 다음 해까지 결혼식을 **미루기로** 결정했다.

유의어 delay

---

25 **with all one's heart**

진심으로, 정성을 다해

He looked after his sick mother **with all his heart**.
그는 **정성을 다해** 편찮으신 어머니를 돌보았다.

Daily Test

STEP 1 빈틈없이 확인하기

[01-25] 영어는 우리말로, 우리말은 영어로 쓰시오.

01 opportunity

02 ordinary

03 occupation

04 essential

05 aspect

06 overcome

07 background

08 adopt

09 resemble

10 burden

11 funeral

12 destiny

13 현명함, 지혜

14 재산, 부, 운

15 성공, 성과

16 애쓰다; 투쟁

17 좌절감을 주다

18 도전; 도전하다

19 친척; 상대적인

20 임신한

21 어른스러운, 성숙한

22 (땅에) 묻다, 매장하다

23 실패

24 with all one's heart

25 (일정을) 미루다, 연기하다

정답 p.287

STEP 2 제대로 적용하기

A 단어

주어진 단어를 지시대로 바꿔 쓰시오.

01 failure → 반의어 ____________

02 fate → 유의어 ____________

03 opportunity → 유의어 ____________

04 ordinary → 반의어 ____________

05 put off → 유의어 ____________

B 구

우리말 의미에 맞게 빈칸에 알맞은 말을 쓰시오.

01 재산을 모으다 make a ____________

02 가까운 친척 a close ____________

03 집안 배경 family ____________

04 아이를 입양하다 ____________ a child

05 장례식에 참석하다 attend a ____________

C 문장

보기에서 알맞은 말을 골라 문장을 완성하시오.

보기	resemble	heart	overcome	struggle	essential

01 She tries to ____________ her fears.

02 Amy doesn't ____________ her mother at all.

03 Good sleep is ____________ to good health.

04 These days many people ____________ to find work.

05 With all my ____________, I hope you pass the test.

DAY 12 여행과 취미

들으며 외우기

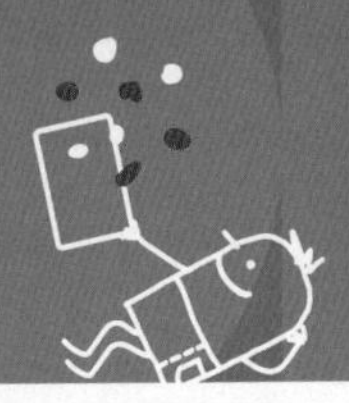

어휘력 UPGRADE

01 **leisure** [lí:ʒər]

명 여가 (일하지 않고 쉬는 시간)

People enjoy more **leisure** time these days.
요즘에는 사람들이 더 많은 **여가** 시간을 즐긴다.

⊕ **leisure** activities 여가 활동

02 **refresh** [rifréʃ]

동 (기분을) 상쾌하게 하다

I took a short trip to **refresh** myself.
나는 **기분전환을 하기** 위해 짧은 여행을 했다.

re(다시)+fresh(생기 있는)

03 **suitcase** [sú:tkeis]

명 여행 가방

My **suitcase** is full of clothes and shoes.
내 **여행 가방**은 옷과 신발로 가득 차 있다.

⊕ pack a **suitcase** 여행 가방을 꾸리다

04 **purpose** [pə́:rpəs]

명 목적, 의도

What is the **purpose** of your visit?
방문 **목적**이 무엇입니까?

05 **reserve** [rizə́:rv]

동 예약하다

I'd like to **reserve** a table for three.
세 명이 식사할 자리를 **예약하고** 싶습니다.

⊕ **reserve** a room 방을 예약하다

reservation 명 예약
유의어 book

06 **rent** [rent]

동 1. 빌리다 2. 임대하다 (돈을 받고 빌려주다)
명 집세, 방세

We **rented** a car at the airport.
우리는 공항에서 차를 **빌렸다**.

Julie **rented** a room in her house to me.
Julie는 그녀의 집의 방 하나를 나에게 **임대해 주었다**.

⊕ pay the **rent** 집세를 내다

흔히 말하는 '렌터카'는 rent a car에서 나온 말이에요.

07 **include**
[inklúːd]

동 **포함하다, 포함시키다**

The price **includes** breakfast.
그 가격은 아침식사를 **포함하고 있다**.

His name is not **included** in the list.
그의 이름은 목록에 **포함되어 있지** 않다.

⊕ be **included** in ~에 포함되다

어휘력 UPGRADE
inclusion 명 포함
반의어 exclude 제외시키다

---

08 **confirm**
[kənfə́ːrm]

동 **확인하다, 확정하다**

I sent an email to **confirm** my reservation.
나는 예약을 **확인하기** 위해 이메일을 보냈다.

---

09 **additional**
[ədíʃənəl]

형 **추가의**

There is an **additional** charge for using the swimming pool. 수영장 이용에는 **추가** 요금이 있습니다.

addition 명 추가
유의어 extra

---

10 **baggage**
[bǽgidʒ]

명 (여행용) **짐, 수하물** (들고 다니는 짐)

Please put your **baggage** in the locker.
짐을 보관함에 넣어 주세요.

유의어 luggage
baggage는 셀 수 없는 명사이므로 복수형으로 쓸 수 없어요.

---

11 **sightseeing**
[sáitsiːiŋ]

명 **관광**

The hotel is in an ideal location for **sightseeing**.
그 호텔은 **관광**하기 알맞은 위치에 있다.

⊕ go **sightseeing** 관광하러 가다

sight(명소) + seeing(보는 것)

---

12 **worth**
[wəːrθ]

형 **~의[할] 가치가 있는** 명 **가치, 값어치**

The museum is **worth** visiting.
그 박물관은 방문**할 가치가 있다**.

I bought 10 dollars' **worth** of flowers.
나는 10달러**어치**의 꽃을 샀다.

⊕ be **worth** -ing ~할 가치가 있다

유의어 value 가치

시험 POINT worth의 용법

네모 안에서 알맞은 것을 고르시오.

The film is worth [seeing / to see] again.
그 영화는 다시 볼 가치가 있다.

'~할 가치가 있다'는 「be worth+-ing」로 쓴다.

정답 seeing

어휘력 UPGRADE

13 **adventure** [ədvéntʃər]

명 모험

My grandfather told me about his **adventures** at sea.
할아버지는 바다에서의 **모험**에 대해 나에게 이야기해 주셨다.

adventurous
형 모험심이 강한

---

14 **captain** [kǽptin]

명 1. 선장, 기장 2. 주장

My uncle was a ship's **captain**.
나의 삼촌은 배의 **선장**이셨다.

⊕ a **captain** of a baseball team 야구팀 주장

후크 선장을 영어로 하면 Captain Hook예요.

---

15 **voyage** [vɔ́iidʒ]

명 항해, 여행 (배를 타고 바다 위를 다님)

The **voyage** from England to America took more than two months.
영국에서 미국까지의 **항해**는 두 달 이상이 걸렸다.

⊕ an around-the-world **voyage** 세계일주 항해

바다나 우주 여행 같은 긴 여행을 나타낼 때 voyage를 주로 사용해요.

---

16 **surf** [səːrf]

동 1. 서핑하다 2. 인터넷을 서핑[검색]하다

Let's go **surfing**! **서핑하러** 가자!

I usually **surf** the internet in my free time.
나는 여가 시간에 주로 인터넷 **서핑을 한다**.

---

17 **destination** [dèstənéiʃən]

명 목적지, 도착지

We will reach our final **destination** at 3 p.m.
우리는 오후 3시에 최종 **목적지**에 도착할 것이다.

⊕ a tourist **destination** 여행지, 관광지

---

18 **souvenir** [sùːvəníər]

명 기념품

I bought a T-shirt as a **souvenir**.
나는 **기념품**으로 티셔츠를 샀다.

⊕ a **souvenir** shop 기념품 가게

---

19 **equipment** [ikwípmənt]

명 장비, 용품

You don't need any special **equipment** for running. 달리기를 하는 데 특별한 **장비**는 필요하지 않다.

⊕ camping **equipment** 캠핑 용품

equipment는 셀 수 없는 명사이므로 복수형으로 쓸 수 없어요.

어휘력 UPGRADE

20 **overall** [òuvərɔ́ːl]

형 전반적인, 전체의 부 전반적으로

The **overall** cost of the trip was $300.
그 여행의 **전체** 비용은 300달러였다.

Overall, the food was delicious.
전반적으로 음식은 맛있었다.

형용사 overall은 명사 앞에만 쓸 수 있어요.

---

21 **collection** [kəlékʃən]

명 수집품, 소장품 (간직하고 있는 물품)

He showed me his **collection** of foreign coins.
그는 나에게 외국 동전 **수집품**을 보여주었다.

+ an art **collection** 미술 소장품

collect 동 수집하다

---

22 **antique** [æntíːk]

형 골동품인 명 골동품 (오래되고 희귀한 옛 물건)

My mother collects **antique** cups and plates.
엄마는 **골동품** 컵과 접시를 수집하신다.

+ an **antique** shop 골동품 가게

---

23 **priceless** [práislis]

형 대단히 귀중한, 값을 매길 수 없는

The room is full of **priceless** antiques.
그 방은 **귀중한** 골동품들로 가득 차 있다.

price(가격)+less(~이 없는) → priceless(가격을 매길 수 없는)

시험 POINT priceless의 의미

밑줄 친 단어의 의미로 알맞은 것을 고르시오.

priceless information

ⓐ useless ⓑ valuable ⓒ additional

귀중한 정보
ⓐ 쓸모없는 ⓒ 추가의

정답 ⓑ

교과서 필수 암기 숙어

24 **be absorbed in**

~에 열중하다, ~에 몰두하다

He **was absorbed in** the baseball game on TV.
그는 TV의 야구 경기**에 열중해 있었다**.

---

25 **go abroad**

외국에 가다

People **go abroad** for various reasons.
사람들은 여러 가지 이유로 **외국에 간다**.

Daily Test

STEP 1 빈틈없이 확인하기

[01-25] 영어는 우리말로, 우리말은 영어로 쓰시오.

01 leisure

02 purpose

03 reserve

04 include

05 confirm

06 baggage

07 voyage

08 souvenir

09 surf

10 equipment

11 overall

12 priceless

13 (기분을) 상쾌하게 하다

14 여행 가방

15 빌리다, 임대하다; 집세

16 추가의

17 관광

18 ~할 가치가 있는; 가치

19 모험

20 선장, 기장, 주장

21 목적지, 도착지

22 골동품인; 골동품

23 수집품, 소장품

24 ba absorbed in

25 외국에 가다

정답 p.288

STEP 2 제대로 적용하기

A 단어

주어진 단어를 지시대로 바꿔 쓰시오.

01 include → 반의어 ______________

02 additional → 유의어 ______________

03 reserve → 유의어 ______________

04 luggage → 유의어 ______________

B 구

우리말 의미에 맞게 빈칸에 알맞은 말을 쓰시오.

01 기념품 가게 a ______________ shop

02 캠핑 용품 camping ______________

03 세계일주 항해 an around-the-world ______________

04 여가 활동 ______________ activities

05 집세를 내다 pay the ______________

06 여행 가방을 꾸리다 pack a ______________

C 문장

보기에서 알맞은 말을 골라 문장을 완성하시오.

보기	purpose	abroad	antique	absorbed	worth

01 She is so ______________ in computer games.

02 The book is ______________ reading again.

03 She went to Germany for the ______________ of studying music.

04 He bought an old camera at the ______________ shop.

05 We're planning to go ______________ during the summer vacation.

DAY
13 기억과 경험

들으며 외우기

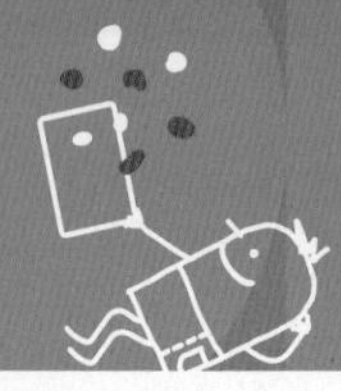

어휘력 UPGRADE

01 **amuse** [əmjúːz]

동 즐겁게 하다

My funny stories **amused** the children.
나의 웃긴 이야기들이 아이들을 **즐겁게 했다**.

amusement
명 재미, 오락

---

02 **rare** [rɛər]

형 드문, 희귀한

I had a **rare** chance to visit the palace.
나는 그 궁전을 방문할 수 있는 **흔치 않은** 기회를 얻었다.

+ a **rare** disease 희귀병

반의어 common
흔한

게임에서 획득하기 어려운 아이템인 '레어템'은 rare item의 줄임말이에요.

---

03 **incredible** [inkrédəbl]

형 1. 놀라운, 엄청난 2. 믿을 수 없는

We had an **incredible** time in Paris.
우리는 파리에서 **놀라운** 시간을 보냈다.

The story is **incredible**, but it's true.
그 이야기는 **믿기지 않지만** 사실이다.

유의어 unbelievable

---

04 **unusual** [ʌnjúːʒuəl]

형 특이한, 흔치 않은

It's **unusual** for him to get up so early in the morning. 그가 아침에 그렇게 일찍 일어나는 것은 **드문** 일이다.

반의어 usual
평범한, 보통의

---

05 **regret** [rigrét]
regretted-regretted

동 후회하다 명 유감, 후회

I **regret** lying to my parents.
나는 부모님께 거짓말한 것을 **후회한다**.

What is your greatest **regret** in life?
인생에서 가장 큰 **후회**가 무엇인가요?

---

06 **organize** [ɔ́ːrgənaiz]

동 1. (어떤 일을) 준비하다 2. 정리[체계화]하다

We'll **organize** a Christmas party.
우리는 크리스마스 파티를 **준비할** 것이다.

You need to **organize** your time better.
너는 시간을 좀 더 **체계적으로 쓸** 필요가 있다.

organization
명 준비, 조직, 단체

어휘력 UPGRADE

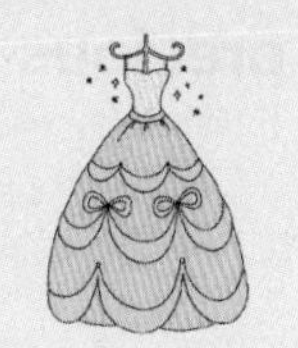

07 **fancy**
[fǽnsi]

형 1. 화려한, 장식이 많은 2. 고급의, 값비싼

This dress is too **fancy** for me.
이 드레스는 나에게 너무 **화려하다**.

+ a **fancy** restaurant 고급 레스토랑

---

08 **vivid**
[vívid]

형 1. 생생한 2. 선명한

I have **vivid** memories of my first day of school.
나는 학교에 간 첫날에 대한 **생생한** 기억을 가지고 있다.

+ **vivid** green 선명한 녹색

vividly
부 생생하게, 선명하게

---

09 **recall**
[rikɔ́:l]

동 기억해 내다, 상기하다 (지난 일을 떠올리다)

I tried to **recall** the actor's name, but I couldn't.
나는 그 배우의 이름을 **기억해 내려고** 노력했지만 기억하지 못했다.

re(다시)+call(불러내다)

---

10 **scent**
[sent]

명 향기, 냄새

The garden was filled with the **scent** of roses.
그 정원은 장미꽃 **향기**로 가득 차 있었다.

---

11 **wander**
[wɑ́ndər]

동 (이리저리) 거닐다, 돌아다니다

I want to **wander** the beach at sunset.
나는 해가 질 무렵에 바닷가를 **거닐고** 싶다.

wonder(궁금해하다)와 헷갈리지 않도록 주의하세요.

---

12 **detail**
[dí:teil]

명 세부 사항

I remember every **detail** of the trip.
나는 그 여행의 모든 **세세한 것들**을 기억한다.

+ in **detail** 상세하게

---

13 **hardly**
[hɑ́:rdli]

부 거의 ~아니다[없다]

I **hardly** remember my childhood.
나는 어린 시절이 **거의** 기억나지 **않는다**.

hardly에는 부정적인 의미가 포함되어 있으므로 not을 같이 쓰지 않아요.

시험 POINT hardly vs. hard

네모 안에서 알맞은 것을 고르시오.

1. He works [hard / hardly].
2. He can [hard / hardly] speak English.

1. 그는 열심히 일한다.
2. 그는 영어를 거의 말하지 못한다.

정답 1. hard
2. hardly

어휘력 UPGRADE

14 **precious**
[préʃəs]

형 귀중한, 소중한

I don't want to waste my **precious** time.
나의 **소중한** 시간을 낭비하고 싶지 않다.

유의어 valuable

---

15 **seek**
[siːk]
sought-sought

동 1. 찾다 2. (도움·충고를) 구하다, 청하다

He is **seeking** a new job.
그는 새로운 일자리를 **찾고** 있다.

I **sought** advice from a doctor.
나는 의사로부터 조언을 **구했다**.

유의어 look for 찾다

시험 POINT seek의 의미

밑줄 친 부분과 바꿔 쓸 수 있는 것을 고르시오.

They are seeking a house in Toronto.

ⓐ living in ⓑ looking for ⓒ selling

그들은 토론토에서 집을 찾고 있는 중이다.
ⓐ 살고 있는
ⓒ 팔고 있는

정답 ⓑ

---

16 **deserve**
[dizə́ːrv]

동 ~을 받을 만하다, ~할 자격이 있다

I think she **deserves** the prize.
내 생각에 그녀는 그 상을 **받을 자격이 있다**.

⊕ **deserve** respect 존경 받을 만하다

---

17 **annual**
[ǽnjuəl]

형 매년의, 한 해의

The festival is the largest **annual** event in London. 그 축제는 런던에서 가장 큰 **연례**행사이다.

⊕ **annual** income 연간 수입

annually
부 해마다, 매년

---

18 **ceremony**
[sérəmouni]

명 의식, 식

I attended my uncle's wedding **ceremony**.
나는 삼촌의 결혼**식**에 참석했다.

⊕ graduation **ceremony** 졸업식

---

19 **honor**
[ɑ́nər]

명 영광, 명예

It is a great **honor** to be here with you.
당신과 함께 이 자리에 있을 수 있어 큰 **영광**입니다.

20 desire
[dizáiər]

명 **욕구, 바람** 동 **바라다, 원하다**

She has a strong **desire** to be a singer.
그녀는 가수가 되고 싶다는 강한 **바람**이 있다.

People in the country **desired** peace.
그 나라의 국민들은 평화를 **바랐다**.

어휘력 UPGRADE

desire는 want보다 더 강한 바람을 의미해요.

---

21 occasion
[əkéiʒən]

명 1. (특정한) **때, 경우** 2. (특별한) **행사**

I can't accept your demands on this **occasion**.
이런 **경우**에는 너의 요구를 들어줄 수 없다.

Jack wears a suit on formal **occasions**.
Jack은 공식적인 **행사**에서 정장을 입는다.

occasional
형 가끔의
occasionally
부 때때로

---

22 celebrate
[séləbreit]

동 **기념하다,** (특별한 일을) **축하하다**

I **celebrate** New Year's Day with my family.
나는 가족들과 함께 새해를 **기념한다**.

⊕ **celebrate** one's birthday 생일을 축하하다

celebration
명 기념, 축하

---

23 anniversary
[ӕnəvə́ːrsəri]

명 **기념일**

My parents are planning a trip to celebrate their 20th wedding **anniversary**.
부모님은 20주년 결혼**기념일**을 축하하기 위해 여행을 계획 중이시다.

교과서 필수 암기 숙어

24 rely on

~에 기대다, ~에 의존하다

You should **rely on** your own judgment.
너는 네 자신의 판단**에 의존해야** 한다.

---

25 come to mind

생각이 떠오르다, 생각이 나다

One important thing **came to mind**.
한 가지 중요한 사실이 **떠올랐다**.

Daily Test

STEP 1 빈틈없이 확인하기

[01-25] 영어는 우리말로, 우리말은 영어로 쓰시오.

01 amuse

02 incredible

03 unusual

04 organize

05 fancy

06 hardly

07 recall

08 wander

09 precious

10 seek

11 occasion

12 celebrate

13 드문, 희귀한

14 후회하다; 유감, 후회

15 생생한, 선명한

16 향기, 냄새

17 세부 사항

18 ~을 받을 만하다

19 영광, 명예

20 매년의, 한 해의

21 의식, 식

22 욕구, 바람; 바라다

23 기념일

24 rely on

25 생각이 떠오르다

정답 p.288

STEP 2 제대로 적용하기

A 단어

주어진 단어를 지시대로 바꿔 쓰시오.

01 common → 반의어 ______________

02 unbelievable → 유의어 ______________

03 precious → 유의어 ______________

04 usual → 반의어 ______________

B 구

우리말 의미에 맞게 빈칸에 알맞은 말을 쓰시오.

01 생일을 축하하다 ______________ one's birthday

02 연간 수입 ______________ income

03 선명한 녹색 ______________ green

04 고급 레스토랑 a ______________ restaurant

05 졸업식 graduation ______________

C 문장

보기에서 알맞은 말을 골라 문장을 완성하시오.

보기	occasions	scent	rely	deserves	regret

01 She likes the ______________ of roses.

02 He may ______________ the decision later.

03 I wear my white dress on special ______________.

04 I think Mr. Jones ______________ respect from students.

05 These days we ______________ on the internet for almost everything.

DAY

14 교통과 도로

들으며 외우기

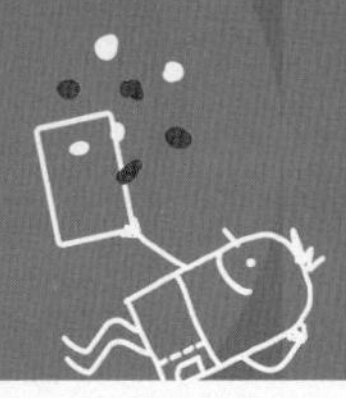

어휘력 UPGRADE

01 **vehicle**
[víːikl]

명 **차량, 탈것**

The police are looking for the driver of this **vehicle.** 경찰이 이 **차량**의 운전자를 찾고 있다.

---

02 **passenger**
[pǽsindʒər]

명 **승객** (차량·대중교통 등을 이용하는 사람)

The airplane can carry 200 **passengers.**
그 비행기는 200명의 **승객**을 태울 수 있다.

⊕ a bus[rail] **passenger** 버스[기차] 승객

---

03 **fare**
[fɛər]

명 (교통) **요금**

How much is the train **fare** from Seoul to Busan? 서울에서 부산까지 기차 **요금**은 얼마인가요?

fair(공정한; 박람회)와 헷갈리지 않도록 주의하세요.

---

04 **transfer**
동사 [trænsfə́ːr]
명사 [trǽnsfər]
transferred-transferred

동 **1. 이동[이송]하다 2. 환승하다** 명 **이동, 환승**

The patient was **transferred** to another hospital. 그 환자는 다른 병원으로 **이송되었다.**

We have to **transfer** at the next station.
우리는 다음 역에서 **환승해야** 한다.

---

05 **crowded**
[kráudid]

형 **붐비는, 혼잡한**

The subway is very **crowded** at rush hour.
러시아워에는 지하철이 매우 **혼잡하다.**

⊕ be **crowded** with ~로 혼잡하다

crowd
명 군중, 사람들

시험 POINT crowded의 활용

네모 안에서 알맞은 말을 고르시오.

The bus was crowded [to / with] passengers.
그 버스는 승객들로 혼잡했다.

'~로 혼잡하다'는 be crowded with로 쓴다.

정답 with

---

06 **transport**
[trænspɔ́ːrt]

동 **수송하다, 실어 나르다**

The ship **transports** goods from Asia to Europe.
그 배는 아시아에서 유럽으로 물건을 **수송한다.**

transportation
명 수송

어휘력 UPGRADE

07 **load**
[loud]

명 (많은 양의) **짐, 화물** 동 (많이) **싣다**

The man was carrying a heavy **load** on his back.
그 남자는 등에 무거운 **짐**을 지고 있었다.

They **loaded** the car with camping equipment.
그들은 차에 캠핑 장비를 **실었다**.

---

08 **accident**
[ǽksidənt]

명 **1. 사고 2. 우연**

Over 100 people were injured in a train **accident.** 철도 **사고**로 100명이 넘는 사람들이 다쳤다.

I don't think the fire was just an **accident**.
나는 그 화재가 단지 **우연**이었다고 생각하지 않는다.

⊕ a traffic **accident** 교통사고

accidental
형 우연한

---

09 **fasten**
[fǽsn]

동 **매다,** (단추 등을) **채우다**

Don't forget to **fasten** your seat belt.
안전벨트 **매는** 것을 잊지 마세요.

⊕ **fasten** a coat 외투의 단추를 채우다

fasten의 t는 묵음이에요.

---

10 **license**
[láisəns]

명 **면허(증)** 동 **허가하다**

I plan to get a driver's **license** next year.
나는 내년에 운전 **면허증**을 딸 계획이다.

The restaurant is **licensed** to sell alcohol.
그 식당은 술을 파는 것이 **허가되었다**.

---

11 **direct**
[dirékt]

형 **1. 직행의 2. 직접적인** 동 **지휘하다**

There is no **direct** bus to the museum.
그 박물관까지는 **직행** 버스가 없다.

The new manager will **direct** the project.
새 팀장이 그 프로젝트를 **지휘할** 것이다.

⊕ a **direct** effect 직접적인 영향

반의어 indirect
우회하는, 간접적인

---

12 **express**
[iksprés]

동 **표현하다, 나타내다** 형 **급행의, 신속한**

People began to **express** interest in his book.
사람들이 그의 책에 관심을 **나타내기** 시작했다.

⊕ an **express** bus 고속버스

어휘력 UPGRADE

13 **route**
[ruːt]

명 **경로, 노선** (한 장소에서 다른 장소로 가는 길)

He told me the shortest **route** to the train station.
그는 내게 기차역으로 가는 가장 빠른 **경로**를 말해주었다.

⊕ a bus **route** 버스 노선

---

14 **crosswalk**
[krɔ́swɔːk]

명 **횡단보도**

You should cross the street at a **crosswalk**.
너는 **횡단보도**에서 길을 건너야 한다.

---

15 **intersection**
[ìntərsékʃən]

명 **교차로** (두 길이 엇갈리게 만나는 곳)

Turn left at the first **intersection**.
첫 번째 **교차로**에서 좌회전하세요.

---

16 **pedestrian**
[pədéstriən]

명 **보행자** (길에서 걸어 다니는 사람)

This street is for **pedestrians** only.
이 길은 **보행자** 전용입니다.

---

17 **track**
[træk]

명 1. (기차) **선로** 2. **경주로, 트랙**

The train for Chicago is on **track** two.
시카고행 열차는 2번 **선로**에 있습니다.

⊕ a running **track** 달리기 트랙

---

18 **path**
[pæθ]

명 **길**

We followed the **path** along the lake.
우리는 호수 주변으로 난 **길**을 따라갔다.

path는 사람들이 지나다녔거나 만들어서 생긴 좁은 길을 의미해요.

---

19 **rush**
[rʌʃ]

동 **급히 움직이다, 돌진하다** (거침없이 나아가다)
명 1. **돌진** 2. **혼잡**

Firefighters **rushed** to the scene of a fire.
소방관들이 화재 현장으로 **급하게 이동했다**.

People made a **rush** for the exit.
사람들이 출구 쪽으로 **돌진했다**.

⊕ **rush** hour 혼잡 시간대, 러시아워

어휘력 UPGRADE

20 **noisy**
[nɔ́izi]

형 **시끄러운, 소란한**

The street was crowded and **noisy**.
거리는 혼잡하고 **시끄러웠다**.

noise 명 소음, 잡음

시험 POINT **noisy vs. noise**

네모 안에서 알맞은 것을 고르시오.

1. They are [noise / noisy].
2. I heard a loud [noise / noisy].

1. 그들은 시끄럽다.
2. 나는 큰 소음을 들었다.

정답 1. noisy
2. noise

21 **aboard**
[əbɔ́ːrd]

부 전 (배·기차·비행기 등에) **탄, 탑승한**

All the passengers were **aboard** the plane.
모든 승객들이 비행기에 **탑승해** 있었다.

유의어 on board

abroad(해외로)와 헷갈리지 않도록 주의하세요.

22 **platform**
[plǽtfɔːrm]

명 1. **플랫폼, 승강장** (교통수단을 타고 내리는 곳) 2. **연단, 강단**

The train will depart from **platform** 3.
그 기차는 3번 **승강장**에서 출발할 것이다.

The first speaker walked up to the **platform**.
첫 번째 발표자가 **연단**으로 올라갔다.

23 **avenue**
[ǽvənjuː]

명 **거리, 대로,** (거리 이름의) **-가**

The department store is on Fifth **Avenue**.
그 백화점은 5번**가**에 있다.

⊕ a broad **avenue** 넓은 길, 대로

교과서 필수 암기 숙어

24 **give ~ a ride**

~를 태워 주다

Can you **give** me **a ride** to the station?
역까지 나를 **태워 줄** 수 있니?

25 **be about to**

막 ~하려는 참이다

The train **was about to** leave when we arrived.
우리가 도착했을 때 기차는 **막** 떠나**려던 참이었다**.

Daily Test

STEP 1 빈틈없이 확인하기

[01-25] 영어는 우리말로, 우리말은 영어로 쓰시오.

01 fare

02 transfer

03 route

04 fasten

05 crowded

06 direct

07 crosswalk

08 intersection

09 pedestrian

10 path

11 platform

12 avenue

13 차량, 탈것

14 표현하다; 급행의

15 승객

16 수송하다

17 짐, 화물; 싣다

18 면허(증); 허가하다

19 사고, 우연

20 선로, 경주로

21 돌진하다; 혼잡

22 시끄러운, 소란한

23 탄, 탑승한

24 give ~ a ride

25 막 ~하려는 참이다

정답 p.289

STEP 2 제대로 적용하기

A 단어

주어진 단어를 의미에 맞게 바꿔 쓰시오.

01 crowd → 혼잡한, 붐비는 ____________

02 transport → 수송 ____________

03 noise → 시끄러운 ____________

B 구

우리말 의미에 맞게 빈칸에 알맞은 말을 쓰시오.

01 기차 승객 a rail ____________

02 교통사고 a traffic ____________

03 버스 노선 a bus ____________

04 혼잡 시간대 ____________ hour

05 고속버스 an ____________ bus

06 직접적인 영향 a ____________ effect

07 운전 면허증 a driver's ____________

C 문장

보기에서 알맞은 말을 골라 문장을 완성하시오.

보기	crosswalk	ride	transfer	fasten	about

01 We have to ____________ to another plane in Hong Kong.

02 Could you please ____________ your seat belt?

03 Be careful while you're crossing at the ____________.

04 My favorite TV show is ____________ to start.

05 My dad gives me a ____________ to school every day.

DAY
15 장소와 건물

들으며 외우기

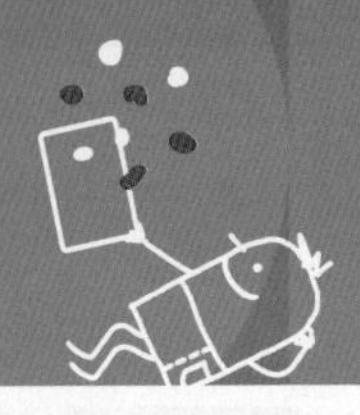

어휘력 UPGRADE

01 **neighborhood** [néibərhùd]

명 1. 근처, 인근 2. 이웃 사람들

Is there a good Chinese restaurant in the **neighborhood**? **근처**에 괜찮은 중식당이 있나요?

The whole **neighborhood** was surprised at the news. 모든 **이웃 사람들**이 그 소식에 놀랐다.

---

02 **countryside** [kʌ́ntrisaid]

명 시골 지역, 전원 (도시에서 떨어진 시골)

They live in the beautiful **countryside**.
그들은 아름다운 **시골 지역**에 산다.

⊕ in the **countryside** 시골에서

---

03 **urban** [ə́ːrbən]

형 도시의

Air pollution is serious in **urban** areas.
대기 오염은 **도시** 지역에서 심각하다.

---

04 **rural** [rúərəl]

형 시골의, 지방의

Some people prefer **rural** life to urban life.
어떤 사람들은 도시 생활보다 **시골** 생활을 선호한다.

반의어 urban 도시의

---

05 **downtown** [dáuntàun]

부 시내로, 시내에 형 시내의

I have to go **downtown** in the evening.
나는 저녁에 **시내에** 가야 한다.

⊕ **downtown** stores 시내 상점들

---

06 **zone** [zoun]

명 (특징·목적이 있는) **구역, 지역**

This is a no-parking **zone**. 여기는 주차금지 **구역**입니다.

⊕ a danger **zone** 위험 지역

07 **construct**
[kənstrʌ́kt]

동 건설하다

The tower was **constructed** in 2000.
그 탑은 2000년도에 **건설되었다**.

어휘력 UPGRADE

construction
명 건설, 공사

시험 POINT construct의 의미

밑줄 친 단어의 의미로 알맞은 것을 고르시오.

They will construct a new bridge.

ⓐ build ⓑ plan ⓒ cross

그들은 새 다리를 건설할 것이다.
ⓑ 계획하다 ⓒ 건너다

정답 ⓐ

08 **concrete**
[kάŋkriːt]

명 콘크리트 형 1. 콘크리트로 된 2. 구체적인

The dam is constructed of **concrete**.
그 댐은 **콘크리트**로 지어졌다.

She gave us a **concrete** example.
그녀는 우리에게 **구체적인** 예를 제시했다.

+ a **concrete** floor 콘크리트로 된 바닥

09 **brick**
[brik]

명 벽돌

I want to live in a red **brick** house some day.
나는 언젠가 빨간 **벽돌**집에 살고 싶다.

10 **steel**
[stiːl]

명 강철

Steel is a very strong metal, and it's used for making bridges and buildings.
강철은 매우 강한 금속으로 다리나 건물을 만드는 데 사용된다.

11 **external**
[ikstə́ːrnəl]

형 외부의, 밖의

The **external** walls of the building are painted yellow. 그 건물의 **외부** 벽은 노란색으로 칠해져 있다.

반의어 internal
내부의

12 **indoor**
[índɔːr]

형 실내의, 실내용의

The hotel has a large **indoor** swimming pool.
그 호텔은 대규모 **실내** 수영장이 있다.

+ **indoor** sports 실내 스포츠

반의어 outdoor
야외의

어휘력 UPGRADE

13 **aisle**
[ail]

명 복도, 통로

I prefer an **aisle** seat in the theater.
나는 극장에서 **통로** 쪽 좌석을 선호한다.

> 비행기나 기차의 창가 쪽 좌석은 window seat, 통로 쪽 좌석은 aisle seat이라고 해요.
>
> aisle의 s는 묵음이에요.

---

14 **ceiling**
[síːliŋ]

명 천장

The **ceiling** of the church was high.
그 교회의 **천장**은 높았다.

---

15 **guard**
[gɑːrd]

명 경비원, 경호원 동 지키다, 보호하다

There are two security **guards** at the gate.
정문에는 두 명의 보안 **요원**이 있다.

Some people use dogs to **guard** their homes.
어떤 사람들은 집을 **지키기** 위해 개를 이용한다.

> bodyguard(보디가드)는 특정한 개인을 경호하는 사람을 의미해요.

---

16 **public**
[pʌ́blik]

형 1. 대중의 2. 공공의 명 일반인, 대중

Smoking is not allowed in **public** places.
흡연은 **공공**장소에서 허용되지 않는다.

The event will be open to the **public**.
그 행사는 **일반인**에게 공개될 것이다.

⊕ **public** opinion 대중의 의견, 여론

> '일반인, 대중'의 의미일 때는 the public으로 써요.

---

17 **auditorium**
[ɔ̀ːditɔ́ːriəm]

명 1. 강당 2. 객석 (관객이 앉는 자리)

The graduation ceremony will take place in the school **auditorium**. 졸업식은 학교 **강당**에서 열릴 것이다.

Every seat in the **auditorium** was empty.
객석의 모든 자리가 비어 있었다.

---

18 **lighthouse**
[láithaus]

명 등대

A **lighthouse** guides ships. **등대**는 배를 안내한다.

---

19 **harbor**
[hɑ́ːrbər]

명 항구

A ship sailed into the **harbor**.
배 한 척이 항구로 들어왔다.

어휘력 UPGRADE

20 **fountain**
[fáuntən]

명 분수

There is a beautiful **fountain** in the garden.
정원에 아름다운 **분수**가 있다.

---

21 **windmill**
[wíndmìl]

명 풍차

Windmills are located in windy areas.
풍차는 바람이 많이 부는 지역에 위치한다.

---

22 **complex**
[kɑ́mpleks]

명 복합 건물, (건물) 단지 형 복잡한

A new shopping **complex** will open soon.
새로운 쇼핑 **단지**가 곧 문을 열 것이다.

Computers are **complex** machines.
컴퓨터는 **복잡한** 기계이다.

유의어 complicated 복잡한

시험 POINT complex의 의미

밑줄 친 단어의 반의어로 알맞은 것을 고르시오.

a <u>complex</u> problem

ⓐ cheap ⓑ difficult ⓒ simple

<u>복잡한</u> 문제
ⓐ 저렴한 ⓑ 어려운
ⓒ 단순한

정답 ⓒ

---

23 **booth**
[bu:θ]

명 (칸막이를 한) 작은 공간, 부스

People are waiting in line at the ticket **booth**.
사람들이 매표**소**에 줄을 서서 기다리고 있다.

교과서 필수 암기 숙어

24 **by accident**

우연히

I can't believe that I met her **by accident** on the street.
길거리에서 **우연히** 그녀를 만났다는 게 믿어지지 않는다.

---

25 **around the corner**

1. 모퉁이를 돌아서 2. 얼마 남지 않은

There's a flower shop **around the corner**.
모퉁이를 돌면 꽃집이 있다.

Christmas is **around the corner**. 크리스마스가 **얼마 남지 않았다**.

Daily Test

STEP 1 빈틈없이 확인하기

[01-25] 영어는 우리말로, 우리말은 영어로 쓰시오.

01 neighborhood

02 rural

03 downtown

04 zone

05 construct

06 brick

07 external

08 aisle

09 harbor

10 windmill

11 auditorium

12 booth

13 시골 지역, 전원

14 도시의

15 콘크리트; 구체적인

16 강철

17 실내의

18 천장

19 경비원; 지키다

20 대중의, 공공의; 일반인

21 등대

22 분수

23 복합 건물; 복잡한

24 around the corner

25 우연히

정답 p.289

STEP 2 제대로 적용하기

A 단어

주어진 단어를 지시대로 바꿔 쓰시오.

01 rural → 반의어 ____________

02 external → 반의어 ____________

03 complex → 유의어 ____________

04 indoor → 반의어 ____________

B 구

우리말 의미에 맞게 빈칸에 알맞은 말을 쓰시오.

01 시내 상점들 ____________ stores

02 위험 지역 a danger ____________

03 통로 쪽 좌석 an ____________ seat

04 대중의 의견, 여론 ____________ opinion

05 학교 강당 the school ____________

C 문장

빈칸에 알맞은 말을 넣어 문장을 완성하시오.

01 We met by ____________ at the airport. 우리는 공항에서 우연히 만났다.

02 I took some pictures in front of the ____________.
나는 분수 앞에서 사진을 찍었다.

03 The ship was heading for the ____________.
그 배는 항구를 향해서 가고 있었다.

04 There are many parks in the ____________. 인근에 공원이 많다.

05 Final exams are just around the ____________.
기말 시험이 얼마 남지 않았다.

내신 대비

어휘 Test

PART 3

01 다음 중 나머지 넷과 관련이 없는 단어는?

① crosswalk　② intersection　③ avenue
④ fountain　⑤ pedestrian

02 빈칸에 알맞은 단어가 바르게 짝지어진 것은?

- reserve : book = ___________ : valuable
- urban : rural = success : ___________

① worthless – wisdom　② priceless – fortune　③ rare – purpose
④ unusual – regret　⑤ precious – failure

03 다음 영영풀이에 해당하는 단어로 알맞은 것은?

an unusual, exciting, or dangerous experience or activity

① sightseeing　② souvenir　③ adventure
④ voyage　⑤ destination

04 다음 중 빈칸에 with를 쓸 수 없는 것은? DAY 11, 14 시험 POINT

① I love you ___________ all my heart.
② He solved the math problem ___________ ease.
③ Alice resembles ___________ her grandmother.
④ She was waiting in line ___________ her arms crossed.
⑤ The platform was crowded ___________ people.

정답 p.289

05 문맥상 빈칸에 들어갈 말로 가장 알맞은 것은?

The first edition of the book is very __________ because only a few copies exist in the world.

① rare ② ordinary ③ relative
④ vivid ⑤ overall

06 밑줄 친 단어의 쓰임이 어색한 것은? DAY 11, 14 시험 POINT

① She sought help from a neighbor.
② The concert was a great success.
③ His house has an indoor swimming pool.
④ The festival became an annual school event.
⑤ This area is always very noise at nighttime.

07 (A)와 (B)에서 알맞은 말을 각각 골라 쓰시오. DAY 13 시험 POINT

서술형

I can (A) [hard / hardly] speak English. I'm going to practice English very (B) [hard / hardly] from now on.

(A) __________ (B) __________

08 우리말과 일치하도록 〈조건〉에 맞게 문장을 완성하시오. DAY 12 시험 POINT

서술형

이 책은 여러 번 읽을 만한 가치가 있다.

→ This book ____________________ many times.

조건 1. be, worth, read를 사용할 것
2. 필요시 단어를 알맞은 형태로 바꿀 것

PART 4

DAY 16

학교와 수업

듣으며 외우기

어휘력 UPGRADE

01 **lecture** [léktʃər]

명 **강의, 강연**

She gave a **lecture** at the university.
그녀는 대학에서 **강의**를 했다.

⊕ give a **lecture** 강의[강연]를 하다

02 **semester** [siméstər]

명 **학기**

The fall **semester** starts in September.
가을 **학기**는 9월에 시작한다.

⊕ spring **semester** 봄 학기

주로 미국의 학기를 나타내는 말로, 1년을 두 학기로 나눈 것 중의 하나를 가리키는 말이에요.

03 **term** [təːrm]

명 **1. 용어, 말 2. 기간, 학기**

What is the meaning of the **term** 'AI'?
AI라는 **말**의 의미는 무엇인가요?

I'll take biology class this **term**.
나는 이번 **학기**에 생물학 수업을 들을 것이다.

04 **absent** [ǽbsənt]

형 **결석한, 참석하지 않은**

Emily was **absent** from school with the flu.
Emily는 독감으로 학교에 **결석했다**.

⊕ be **absent** from ~에 결석하다

absence
명 결석, 부재

반의어 present
출석한

05 **entrance** [éntrəns]

명 **1. 입구 2. 입학, 입장**

There are two **entrances** to the park.
공원에는 두 개의 **입구**가 있다.

⊕ an **entrance** exam 입학[입사] 시험

enter 동 들어가다

06 **graduation** [grædʒuéiʃən]

명 **졸업(식)**

We celebrated her **graduation** from high school.
우리는 그녀의 고등학교 **졸업**을 축하했다.

⊕ a **graduation** ceremony 졸업식

graduate
동 졸업하다

어휘력 UPGRADE

07 **educate**
[édʒukeit]

동 교육하다, 가르치다

He was **educated** at private schools.
그는 사립학교에서 **교육받았다**.

education 명 교육

---

08 **major**
[méidʒər]

형 주요한, 중대한 명 전공 동 전공하다

Harry played a **major** role in our group project.
Harry는 우리의 조별 과제에서 **주요한** 역할을 했다.

She chose history as her **major**.
그녀는 **전공**으로 역사를 선택했다.

⊕ **major** in ~을 전공하다

반의어 minor
작은, 중요하지 않은

시험 POINT major의 의미

밑줄 친 단어의 의미를 쓰시오.

1. Stress is a major problem.
2. Her major is French.

1. 스트레스는 주요한 문제이다.
2. 그녀의 전공은 프랑스어이다.

정답 1. 주요한 2. 전공

---

09 **visual**
[víʒuəl]

형 시각의, 눈에 보이는

Many teachers use **visual** aids in the classroom.
많은 교사들이 교실에서 **시각** 자료를 사용한다.

⊕ **visual** effects 시각적 효과

---

10 **complete**
[kəmplí:t]

동 완료하다, 끝마치다 형 완전한

The project took four weeks to **complete**.
그 프로젝트는 **끝마치는** 데 4주가 걸렸다.

It was a **complete** waste of time.
그것은 **완전한** 시간 낭비였다.

completion
명 완료, 완성

---

11 **fluent**
[flú:ənt]

형 유창한 (언어 실력이 뛰어난)

He is **fluent** in English and Spanish.
그는 영어와 스페인어가 **유창하다**.

---

12 **potential**
[pəténʃəl]

명 가능성, 잠재력 (숨겨진 능력) 형 가능성 있는, 잠재적인

Mark has the **potential** to be the best player.
Mark는 최고의 선수가 될 **잠재력**을 가지고 있다.

⊕ **potential** ability 잠재적인 능력

어휘력 UPGRADE

13 **memorize** [méməraiz]

동 외우다, 암기하다

The student tried to **memorize** the names of the planets. 그 학생은 행성들의 이름을 **외우려고** 노력했다.

memory 명 기억

14 **concentrate** [kánsəntreit]

동 (주의를) 집중하다

Turn off the TV and **concentrate** on your homework. TV를 끄고 숙제에 **집중해라**.

⊕ **concentrate** on ~에 집중하다

concentration 명 집중

시험 POINT concentrate의 용법

네모 안에서 알맞은 것을 고르시오.

We should concentrate [to / on] this problem.

우리는 이 문제에 집중해야 한다.

'~에 집중하다'는 concentrate on으로 쓴다.

정답 on

15 **summary** [sʌ́məri]

명 요약, 개요

I have to write a **summary** of the book.
나는 그 책의 **요약문**을 써야 한다.

summarize 동 요약하다

16 **review** [rivjúː]

동 1. 복습하다 2. 재검토하다
명 1. 복습 2. 검토 3. 비평, 평가

You need to **review** for the test tomorrow.
너는 내일 시험에 대비해 **복습할** 필요가 있다.

We'll **review** the evidence carefully.
우리는 증거를 면밀히 **재검토할** 것이다.

There's a **review** section at the end of each unit.
각 유닛의 끝에는 **복습** 부분이 있다.

⊕ film[book] **reviews** 영화평[서평]

re(다시)와 view(보다)가 합쳐져서 '복습, 검토'라는 의미를 나타내는 말이 되었어요.

17 **spell** [spel]

동 (단어·이름 등의) 철자를 쓰다[말하다]

How do you **spell** your name?
너의 이름의 **철자는** 어떻게 **쓰니**?

18 **pronounce** [prənáuns]

동 발음하다

I don't know how to **pronounce** this word.
이 단어를 어떻게 **발음하는지** 모르겠어.

pronunciation 명 발음

19 **cheat**
[tʃiːt]

동 (시험·경기 등에서) **부정행위를 하다, 속임수를 쓰다**

David **cheated** on the science test.
David는 과학 시험에서 **부정행위를 했다**.

어휘력 UPGRADE

시험의 부정행위를 나타낼 때, '컨닝'이라는 말은 틀린 표현이고 올바른 영어 표현은 cheating이에요.

---

20 **peer**
[piər]

명 **또래, 동료**

Teenagers spend a lot of time with their **peer** groups. 십 대들은 그들의 **또래** 집단과 많은 시간을 보낸다.

---

21 **counselor**
[káunsələr]

명 **상담사, 카운슬러**

The school **counselor** gave me helpful advice.
학교 **상담 선생님**은 나에게 도움이 되는 조언을 해주셨다.

counsel
동 상담을 하다

---

22 **facility**
[fəsíləti]

명 **시설**

Our school is improving its sports **facilities**.
우리 학교는 체육 **시설**을 개선하고 있다.

⊕ educational **facilities** 교육 시설

---

23 **dormitory**
[dɔ́ːrmətɔːri]

명 **기숙사**

We shared a room in the **dormitory**.
우리는 **기숙사**에서 방을 같이 썼다.

교과서 필수 암기 숙어

24 **sign up for**

~에 신청하다, ~에 등록하다

Maria **signed up for** the Chinese course.
Maria는 중국어 강좌**에 등록했다**.

---

25 **fall behind**

(경쟁 등에서) **뒤처지다**

He did his best not to **fall behind** in the race.
그는 경주에서 **뒤처지지** 않으려고 최선을 다했다.

Daily Test

STEP 1 빈틈없이 확인하기

[01-25] 영어는 우리말로, 우리말은 영어로 쓰시오.

01 semester

02 complete

03 graduation

04 educate

05 visual

06 potential

07 memorize

08 summary

09 spell

10 cheat

11 facility

12 dormitory

13 강의, 강연

14 용어, 기간, 학기

15 결석한

16 주요한; 전공(하다)

17 입구, 입학, 입장

18 유창한

19 집중하다

20 복습하다; 검토, 비평

21 발음하다

22 또래, 동료

23 상담사, 카운슬러

24 fall behind

25 ~에 신청[등록]하다

정답 p.290

STEP 2 제대로 적용하기

A 단어

주어진 단어를 의미에 맞게 바꿔 쓰시오.

01 memorize → 기억 ______________

02 summary → 요약하다 ______________

03 pronounce → 발음 ______________

04 completion → 완료하다 ______________

05 counsel → 상담사 ______________

B 구

우리말 의미에 맞게 빈칸에 알맞은 말을 쓰시오.

01 시각적 효과 ______________ effects

02 입학 시험 an ______________ exam

03 졸업식 a ______________ ceremony

04 잠재적인 능력 ______________ ability

05 강의를 하다 give a ______________

C 문장

보기에서 알맞은 말을 골라 문장을 완성하시오.

보기	sign	review	absent	concentrate	behind

01 Judy was ______________ from school because of a bad cold.

02 He tried not to fall ______________ in the competition.

03 I'll write a book ______________ after reading the novel.

04 You should ______________ on your teacher in class.

05 I'm going to ______________ up for swimming lessons.

DAY 17

교육과 학문

들으며 외우기

어휘력 UPGRADE

01 **basic** [béisik]

형 기본의, 기초적인

The children are learning **basic** math and English. 그 아이들은 **기초적인** 수학과 영어를 배우고 있다.

base 명 기초, 토대

02 **course** [kɔːrs]

명 1. 강의, 강좌 2. (교육) 과정

I'm taking two English **courses** this semester. 나는 이번 학기에 두 개의 영어 **강좌**를 듣고 있다.

+ a training **course** 훈련 과정

03 **ability** [əbíləti]

명 능력, 재능

The boy showed great **ability** in math. 그 소년은 수학에서 뛰어난 **재능**을 보여주었다.

+ the **ability** to learn 학습할 수 있는 능력

able 형 ~할 수 있는

04 **knowledge** [nálidʒ]

명 지식

He has **knowledge** of classical music. 그는 클래식 음악에 대한 **지식**을 가지고 있다.

+ background **knowledge** 배경지식

know 동 알다

05 **primary** [práimeri]

형 1. 주요한 2. 초기의

The **primary** goal of this course is to find your potential. 이 강좌의 **주된** 목적은 여러분의 잠재력을 찾는 것이다.

+ the **primary** stage 초기 단계

유의어 main 주요한

06 **target** [táːrgit]

명 1. 목표 2. 표적, 과녁

I set a **target** of learning ten new words every day. 나는 매일 열 개의 새로운 단어를 배우는 것을 **목표**로 세웠다.

+ aim at a **target** 과녁을 겨냥하다

유의어 goal 목표

어휘력 UPGRADE

07 **motivate**
[móutəveit]

동 **동기를 부여하다** (행동의 계기를 주다)

Ms. Dale is good at **motivating** her students.
Dale 선생님은 학생들에게 **동기를 부여하는** 데 능숙하다.

motivation
명 동기 부여

---

08 **combine**
[kəmbáin]

동 **결합하다, 섞다**

The program **combines** education with entertainment. 그 프로그램은 교육과 오락을 **결합하고 있다**.

⊕ **combine** *A* with *B* A와 B를 결합하다

combination
명 결합

---

09 **concept**
[kánsept]

명 **개념, 생각**

I can't understand the **concept** of time travel.
나는 시간 여행의 **개념**을 이해할 수 없다.

---

10 **intelligence**
[intélidʒəns]

명 **지능**

Emma is a person of high **intelligence**.
Emma는 높은 **지능**을 가진 사람이다.

⊕ high[low] **intelligence** 높은[낮은] 지능

intelligent
형 총명한, 똑똑한

---

11 **field**
[fi:ld]

명 1. (연구·활동의) **분야, 영역** 2. **들판, 밭**

He works in the **field** of computer science.
그는 컴퓨터 과학 **분야**에서 일한다.

Some farmers are working in the **field**.
몇몇 농부들이 **밭**에서 일하고 있다.

---

12 **acquire**
[əkwáiər]

동 **얻다, 습득하다** (배워서 익히다)

Some people can **acquire** languages quickly.
어떤 사람들은 언어를 빠르게 **습득할** 수 있다.

acquisition
명 습득

시험 POINT acquire vs. inquire

네모 안에서 알맞은 것을 고르시오.

You can [inquire / acquire] computing skills through this course.
여러분은 이 강좌를 통해 컴퓨터 기술을 습득할 수 있다.

inquire: 묻다
acquire: 습득하다

정답 acquire

어휘력 UPGRADE

13 **instruct** [instrʌ́kt]

동 1. 지시하다 2. 가르치다

The doctor **instructed** him to stop smoking.
의사는 그에게 흡연을 중단하라고 **지시했다**.

She **instructed** us on how to use the machine.
그녀는 우리에게 그 기계를 사용하는 법을 **가르쳐 주었다**.

instruction
명 가르침, 설명

---

14 **academic** [ækədémik]

형 학업의, 학문의

Kate received awards for her **academic** achievements. Kate는 그녀의 **학업** 성취에 대해 상을 받았다.

academy
명 (특수) 학교, 학원

---

15 **prior** [práiər]

형 사전의, 이전의 (일이 일어나기 전의)

The history class was canceled without **prior** notice. 역사 수업이 **사전의** 공지 없이 취소되었다.

⊕ **prior** experience 이전의 경험

---

16 **refer** [rifə́ːr]
referred-referred

동 1. 참조하다 2. 언급하다

Refer to the website for more information.
더 많은 정보를 위해 그 웹사이트를 **참조해라**.

No one **referred** to the matter.
누구도 그 문제를 **언급하지** 않았다.

⊕ **refer** to ~을 참조[언급]하다

reference
명 참조, 언급

시험 POINT refer의 용법

우리말에 맞게 밑줄 친 부분을 바르게 고쳐 쓰시오.

He referred his notes when he gave a speech.
그는 연설을 할 때 자신의 메모를 참조했다.

'~을 참조하다'는 refer to로 쓴다.

정답 referred to

---

17 **examine** [igzǽmin]

동 검토하다, 조사하다

The teachers **examined** all the questions carefully. 그 교사들은 모든 문항을 주의 깊게 **검토했다**.

examination
명 조사, 검토, 시험

---

18 **ultimate** [ʌ́ltəmət]

형 궁극적인, 최종적인

His **ultimate** goal is to build a school in Africa.
그의 **최종** 목표는 아프리카에 학교를 세우는 것이다.

어휘력 UPGRADE

19 **pursue**
[pərsúː]

동 추구하다, 밀고 나가다
(원하는 것을 좇다)

You should **pursue** your dream of becoming an actor. 너는 배우가 되겠다는 네 꿈을 **밀고 나가야** 한다.

pursuit 명 추구

---

20 **insight**
[ínsait]

명 통찰력
(예리하게 사물·현상을 꿰뚫어 보는 능력)

Everyone admired her **insight** and wisdom.
모든 사람이 그녀의 **통찰력**과 지혜에 감탄했다.

---

21 **intellectual**
[intəléktʃuəl]

형 지적인, 지성의

Students should develop both their creative and **intellectual** skills.
학생들은 창의력과 **지적** 능력을 모두 개발해야 한다.

---

22 **evaluate**
[ivǽljuèit]

동 평가하다

The test is a way to **evaluate** your speaking abilities.
그 시험은 너의 말하기 능력을 **평가하는** 한 방법이다.

evaluation 명 평가

---

23 **theory**
[θíːəri]

명 이론, 학설
(학문적 주장)

Many scientists support the Big Bang **theory**.
많은 과학자들이 빅뱅 **이론**을 지지한다.

교과서 필수 암기 숙어

24 **be eager to**

~하려는 열의가 있다, ~하고 싶어 하다

Most students in the class **are eager to** learn.
그 학급의 대부분의 학생들은 배우고자 **하는 열의가 있다**.

---

25 **rather than**

~보다는, ~ 대신에

The teacher told us to be brave **rather than** perfect.
선생님은 우리에게 완벽하기**보다는** 용감하라고 말했다.

Daily Test

STEP 1 빈틈없이 확인하기

[01-25] 영어는 우리말로, 우리말은 영어로 쓰시오.

01 basic

02 course

03 primary

04 intelligence

05 motivate

06 acquire

07 instruct

08 academic

09 refer

10 examine

11 intellectual

12 ultimate

13 능력, 재능

14 지식

15 목표, 표적, 과녁

16 (연구) 분야, 들판, 밭

17 결합하다, 섞다

18 개념, 생각

19 사전의, 이전의

20 평가하다

21 추구하다

22 이론, 학설

23 통찰력

24 rather than

25 ~하려는 열의가 있다

정답 p.290

STEP 2 제대로 적용하기

A 단어

주어진 단어를 의미에 맞게 바꿔 쓰시오.

01 evaluate → 평가 ______________

02 motivate → 동기 부여 ______________

03 base → 기본의, 기초적인 ______________

04 examine → 조사, 검토, 시험 ______________

05 pursue → 추구 ______________

B 구

우리말 의미에 맞게 빈칸에 알맞은 말을 쓰시오.

01 배경지식 background ______________

02 훈련 과정 a training ______________

03 초기 단계 the ______________ stage

04 높은 지능 high ______________

05 이전의 경험 ______________ experience

C 문장

보기에서 알맞은 말을 골라 문장을 완성하시오.

보기	eager	rather	refer	combine	acquire

01 If you ______________ red with yellow, you'll get orange.

02 I decided to stay home ______________ than go out.

03 Children generally ______________ a foreign language rapidly.

04 You can ______________ to the dictionary if you need.

05 She is ______________ to learn how to drive a car.

DAY 18

사회와 문화

들으며 외우기

어휘력 UPGRADE

01 **custom** [kʌ́stəm]

명 관습, 풍습

In the US, it's a **custom** to eat turkey on Thanksgiving.
미국에서는 추수감사절에 칠면조를 먹는 것이 **관습**이다.

---

02 **social** [sóuʃəl]

형 사회의, 사회적인

The country's low birth rate is a **social** issue.
그 나라의 낮은 출산율은 **사회적** 문제이다.

⊕ **social** media 소셜미디어

society 명 사회

---

03 **traditional** [trədíʃənl]

형 전통의, 전통적인

A hanok is a **traditional** Korean house.
한옥은 **전통적인** 한국 가옥이다.

⊕ **traditional** music 전통 음악, 국악

tradition 명 전통

---

04 **standard** [stǽndərd]

명 기준, 수준 형 표준의, 일반적인

The **standard** of living in Sweden is high.
스웨덴의 생활 **수준**은 높다.

⊕ **standard** size 표준 치수

---

05 **characteristic** [kæ̀riktərístik]

명 특징, 특성

All human languages share some common **characteristics**.
모든 인간의 언어는 몇 가지 공통적인 **특징**을 공유한다.

---

06 **individual** [ìndəvídʒuəl]

형 각각의, 개인의 명 개인

We should respect **individual** freedom.
우리는 **개인의** 자유를 존중해야 한다.

⊕ the right of the **individual** 개인의 권리

individually 부 개별적으로, 각각

어휘력 UPGRADE

07 **gap**
[gæp]

명 1. 틈, 구멍 2. 차이, 격차

I have a **gap** between my two front teeth.
나는 두 개의 앞니 사이에 **틈**이 있다.

We have to close the **gap** between the rich and the poor. 우리는 빈부 **격차**를 줄여야 한다.

08 **generation**
[dʒènəréiʃən]

명 동시대의 사람들, 세대 (비슷한 연령층의 사람들)

The younger **generations** are more familiar with digital technology.
젊은 **세대들**은 디지털 기술에 더 익숙하다.

⊕ a **generation** gap 세대 차이

09 **contribute**
[kəntríbju:t]

동 1. 기부하다 2. 기여하다 (도움이 되다)

He **contributed** $100 to the charity.
그는 자선 단체에 100달러를 **기부했다**.

She **contributed** greatly to the community.
그녀는 지역 사회에 크게 **기여했다**.

contribution
명 기부금, 기여

10 **distribute**
[distríbju:t]

동 나누어 주다, 분배하다

The organization **distributes** food and clothing to poor families.
그 단체는 빈곤가정에 음식과 옷을 **나누어 준다**.

distribution
명 분배

시험 POINT **contribute vs. distribute**

네모 안에서 알맞은 것을 고르시오.

We [contributed / distributed] the money equally.
우리는 그 돈을 똑같이 분배했다.

contribute: 기부하다, 기여하다
distribute: 분배하다

정답 distributed

11 **survey**
[sə:rvéi]

명 (설문) **조사**

A recent **survey** showed that many students skip breakfast.
최근의 한 **조사**는 많은 학생들이 아침을 거른다는 것을 보여 주었다.

12 **fund**
[fʌnd]

명 (특정 목적을 위한) **기금, 자금**

They raised **funds** to help sick children.
그들은 아픈 아이들을 돕기 위해 **기금**을 모았다.

어휘력 UPGRADE

13 **normal**
[nɔ́ːrməl]

형 **보통의, 평범한, 정상적인**

It's **normal** to feel nervous before a job interview. 취업 면접 전에 긴장되는 것은 **정상이다**.

⊕ **normal** people[life] 평범한 사람들[인생]

반의어 abnormal 비정상적인

---

14 **population**
[pὰpjuléiʃən]

명 **인구**

The world's **population** is increasing.
세계의 **인구**는 증가하고 있다.

⊕ **population** growth 인구 증가

---

15 **resident**
[rézidənt]

명 **거주자, 주민**

There is a library for the local **residents**.
지역 **주민**을 위한 도서관이 있다.

residence 명 거주지

---

16 **immigrate**
[ímigreit]

동 **이주해 오다, 이민을 오다**

My family **immigrated** here 10 years ago.
우리 가족은 10년 전에 이곳으로 **이민을 왔다**.

immigration 명 이주, 이민

반의어 emigrate 이민을 가다

---

17 **status**
[stéitəs]

명 **1. 지위** 2. (진행 중인) **상태, 상황**

He wants to improve his social **status**.
그는 자신의 사회적 **지위**를 높이고 싶어 한다.

What is the **status** of my order?
내 주문의 **진행 상황**은 어떤가요?

---

18 **identity**
[aidéntəti]

명 **신원, 신분**

The **identity** of the author is still a mystery.
그 작가의 **신원**은 여전히 미스터리이다.

⊕ an **identity** card 신분증 (= ID card)

identify 동 (신원을) 확인하다

---

19 **rank**
[ræŋk]

명 **계급, 계층** 동 (등급·순위를) **매기다, 차지하다**

He wanted to join the upper social **ranks**.
그는 상류 사회 **계층**에 들어가기를 원했다.

⊕ **rank** high 상위를 차지하다

20 **relationship**
[riléiʃənʃip]

명 관계, 관련(성)

There is a close **relationship** between language and culture. 언어와 문화 사이에는 밀접한 **관련**이 있다.

---

21 **accent**
[ǽksent]

명 말씨, 억양

Peter has a strong French **accent.**
Peter는 강한 프랑스 **억양**을 가지고 있다.

---

22 **pose**
[pouz]

동 1. 포즈[자세]를 취하다 2. (문제 등을) 일으키다
명 포즈, 자세

Every student **posed** for the group photo.
모든 학생이 단체 사진을 위해 **포즈를 취했다**.

Fine dust **poses** a threat to our health.
미세 먼지는 우리의 건강에 위협이 **된다**.

---

23 **forbid**
[fərbíd]
forbade-forbidden

동 금하다, 금지하다

The museum **forbids** taking pictures.
그 박물관은 사진 촬영을 **금지한다**.

반의어 permit
허용[허락]하다

시험 POINT forbid의 활용

우리말을 영어로 바르게 옮긴 것을 고르시오.

그녀는 출국이 금지되었다.

ⓐ She forbade to leave the country.
ⓑ She was forbidden to leave the country.

'금지 당했다'라는 의미가 되어야 하므로 수동태로 쓴다.

정답 ⓑ

교과서 필수 암기 숙어

24 **in public**

공개적으로, 사람들 앞에서

I feel nervous about speaking **in public.**
나는 **사람들 앞에서** 말하는 것에 불안감을 느낀다.

---

25 **set up**

설립하다, 설치하다

They **set up** a volunteer organization.
그들은 자원봉사 단체를 **설립했다**.

⊕ **set up** a tent 텐트를 치다

Daily Test

STEP 1 빈틈없이 확인하기

[01-25] 영어는 우리말로, 우리말은 영어로 쓰시오.

01 custom

02 standard

03 characteristic

04 relationship

05 contribute

06 fund

07 normal

08 resident

09 status

10 identity

11 pose

12 forbid

13 사회의, 사회적인

14 전통의, 전통적인

15 각각의, 개인의; 개인

16 세대, 동시대 사람들

17 분배하다, 나누어 주다

18 (설문) 조사

19 인구

20 이민을 오다

21 계급, 계층

22 말씨, 억양

23 틈, 격차, 차이

24 set up

25 공개적으로, 사람들 앞에서

정답 p.291

STEP 2 제대로 적용하기

A 단어

주어진 단어를 의미에 맞게 바꿔 쓰시오.

01 social → 사회 ______________

02 distribute → 분배 ______________

03 immigrate → 이주, 이민 ______________

04 resident → 거주지 ______________

B 구

우리말 의미에 맞게 빈칸에 알맞은 말을 쓰시오.

01 전통 음악 ______________ music

02 표준 치수 ______________ size

03 세대 차이 a ______________ gap

04 인구 증가 ______________ growth

05 신분증 an ______________ card

C 문장

보기 에서 알맞은 말을 골라 문장을 완성하시오. (필요한 경우, 형태를 바꿀 것)

보기	public	forbid	individual	contribute

01 The UN has ______________ to world peace. UN은 세계 평화에 기여해왔다.

02 He was ______________ to play computer games.
그는 컴퓨터 게임을 하는 것이 금지되었다.

03 She rarely appears in ______________.
그녀는 사람들 앞에 좀처럼 나타나지 않는다.

04 We should respect ______________ opinions in the debate.
우리는 토론에서 개인의 의견을 존중해야 한다.

DAY 19

역사와 종교

들으며 외우기

어휘력 UPGRADE

01 ancient [éinʃənt]

형 **고대의, 아주 오래된**

Democracy began in **ancient** Greece.
민주주의는 **고대** 그리스에서 시작되었다.

반의어 modern 현대의

---

02 historical [histɔ́:rikəl]

형 **역사적인, 역사상의**

This chapter is about the **historical** background of the war. 이 장은 그 전쟁의 **역사적** 배경에 관한 것이다.

history 명 역사

---

03 revolution [rèvəlú:ʃən]

명 **혁명, 변혁** (급격하게 바꾸어 달라짐)

The French **Revolution** began in 1789.
프랑스 **혁명**은 1789년에 시작되었다.

+ the industrial **revolution** 산업 혁명

revolutionary 형 혁명의, 혁신적인

---

04 heritage [héritidʒ]

명 (국가·사회의) **유산** (이전 세대가 물려준 것)

My country has a rich cultural **heritage**.
우리나라는 풍부한 문화**유산**을 보유하고 있다.

---

05 remains [riméinz]

명 **유적, 유물**

They discovered **remains** from the New Stone Age. 그들은 신석기 시대 **유적**을 발견했다.

동사 remain(남아 있다)과 혼동하지 않도록 유의하세요.

시험 POINT remain vs. remains

밑줄 친 단어의 의미를 쓰시오.

1. Her death remains a mystery.
2. The museum has ancient remains.

1. 그녀의 죽음은 미스터리로 남아 있다.
2. 그 박물관에는 고대 유물이 있다.

정답 1. 남아 있다 2. 유물

---

06 empire [émpaiər]

명 **제국** (황제가 다스리는 나라)

Rome was once the center of the Roman **Empire**. 로마는 한때 로마 **제국**의 중심지였다.

emperor 명 황제

어휘력 UPGRADE

07 **absolute**
[ǽbsəluːt]

형 1. 완전한, 완벽한 2. 절대적인

This class is for **absolute** beginners.
이 수업은 **완전** 초보자들을 위한 것이다.

The king had **absolute** power in the past.
과거에는 왕이 **절대적인** 권력을 가지고 있었다.

---

08 **cruel**
[krúːəl]

형 잔혹한, 잔인한

The Roman emperor Nero was a **cruel** leader.
로마의 황제 네로는 **잔혹한** 지도자였다.

---

09 **legend**
[lédʒənd]

명 1. 전설 2. 전설적인 인물

This film is based on **legends** about the Vikings.
이 영화는 바이킹에 대한 **전설**을 토대로 하고 있다.

Michael Jordan became a living **legend**.
마이클 조던은 살아있는 **전설적인 인물**이 되었다.

legendary
형 전설적인, 아주 유명한

---

10 **myth**
[miθ]

명 신화

According to an ancient **myth**, a monster lived in this lake. 고대 **신화**에 따르면 이 호수에 괴물이 살고 있었다.

⊕ ancient Greek **myths** 고대 그리스 신화

---

11 **religion**
[rilídʒən]

명 종교

They fought for freedom of **religion**.
그들은 **종교**의 자유를 위해 싸웠다.

religious
형 종교적인, 신앙심이 깊은

---

12 **consider**
[kənsídər]

동 1. 숙고하다 (곰곰이 생각하다) 2. ~로 여기다 3. 배려하다

I need some time to **consider** the offer.
나는 그 제안을 **생각해 볼** 시간이 필요하다.

We **considered** him religious.
우리는 그가 신앙심이 깊다고 **여겼다**.

Always **consider** other people's feelings.
항상 다른 사람들의 기분을 **배려해라**.

consideration
명 숙고, 고려, 배려

어휘력 UPGRADE

13 **evil**
[íːvəl]

형 사악한, 악랄한 명 악, 악행

In the movie, the superhero saves the world from an **evil** scientist.
그 영화에서 슈퍼히어로는 **사악한** 과학자로부터 세상을 구한다.

⊕ good and **evil** 선과 악

---

14 **spirit**
[spírit]

명 정신, 영혼

I believe the human **spirit** is powerful.
나는 인간의 **정신**은 강력하다고 믿는다.

⊕ an evil **spirit** 악한 영혼

spiritual
형 정신적인

---

15 **holy**
[hóuli]

형 신성한, 성스러운

She wants to visit the **holy** city of Mecca.
그녀는 **성스러운** 도시인 메카를 방문하고 싶어 한다.

⊕ **holy** water 성수

---

16 **pray**
[prei]

동 (신에게) 기도하다, 빌다

I'll **pray** for you. 널 위해 **기도할게**.

⊕ **pray** for peace 평화를 위해 기도하다

prayer 명 기도

play(놀다), prey(먹이, 사냥감)와 헷갈리지 않도록 주의하세요.

---

17 **miracle**
[mírəkl]

명 기적

It was a **miracle** that he survived.
그가 살아남은 것은 **기적**이었다.

---

18 **heaven**
[hévən]

명 천국, 하늘나라

I believe my grandma is in **heaven**.
나는 할머니가 **천국**에 계신다고 믿는다.

---

19 **tomb**
[tuːm]

명 무덤

He is buried with his wife in the **tomb**.
그는 **무덤**에 부인과 함께 묻혀 있다.

tomb의 b는 묵음이에요.

어휘력 UPGRADE

20 **belief**
[bilíːf]

명 **믿음, 신념**

She has a strong **belief** in God.
그녀는 신에 대한 강한 **믿음**이 있다.

believe 동 믿다

---

21 **temple**
[témpl]

명 **사원, 신전, 사찰**

She goes to the **temple** to pray.
그녀는 기도하러 **사원**에 간다.

---

22 **priest**
[priːst]

명 (기독교·가톨릭의) **사제, 성직자**

My brother wants to be a Catholic **priest**.
형은 가톨릭 **사제**가 되기를 원한다.

---

23 **bless**
[bles]

동 (신의) **축복을 빌다**

The priest **blessed** the baby.
성직자가 아기에게 **신의 축복을 빌었다**.

'God bless you!'는 '신의 축복이 있기를!'이라는 의미로 상대방에게 행운을 빌어주는 말이에요.

교과서 필수 암기 숙어

24 **hand down**

(자손·후세에) **전하다, 대물림하다**

The land was **handed down** from generation to generation. 그 땅은 세대를 거쳐 **대물림되었다**.

---

25 **be named after**

~을 따서 이름 지어지다

Venus **is named after** the Roman goddess of love and beauty. 금성은 로마의 사랑과 미의 여신의 **이름을 따서 이름 지어졌다**.

'~(의 이름)을 따서 이름 짓다'의 영어 표현

네모 안에서 알맞은 것을 고르시오.

The Nobel Prize is [naming / named] after a Swedish chemist, Alfred Nobel.
노벨상은 스웨덴의 화학자 알프레드 노벨(의 이름)을 따서 이름 지어진 것이다.

'~(의 이름)을 따서 이름 지어지다'는 be named after로 쓴다.

정답 named

Daily Test

STEP 1 빈틈없이 확인하기

[01-25] 영어는 우리말로, 우리말은 영어로 쓰시오.

01 historical

02 heritage

03 remains

04 empire

05 cruel

06 consider

07 evil

08 spirit

09 belief

10 tomb

11 priest

12 bless

13 고대의, 아주 오래된

14 혁명, 변혁

15 완전한, 절대적인

16 전설, 전설적인 인물

17 신화

18 종교

19 신성한, 성스러운

20 기도하다

21 천국, 하늘나라

22 사원, 사찰

23 기적

24 be named after

25 (후세에) 전하다, 대물림하다

정답 p.291

STEP 2 제대로 적용하기

A 단어

주어진 단어를 의미에 맞게 바꿔 쓰시오.

01 spirit → 정신적인 ______________

02 legend → 전설적인 ______________

03 religion → 종교적인 ______________

04 believe → 믿음, 신념 ______________

B 구

우리말 의미에 맞게 빈칸에 알맞은 말을 쓰시오.

01 고대 그리스 ______________ Greece

02 산업 혁명 the industrial ______________

03 문화유산 cultural ______________

04 선과 악 good and ______________

05 가톨릭 사제 a Catholic ______________

C 문장

빈칸에 알맞은 말을 넣어 문장을 완성하시오.

01 He is an ______________ beginner. 그는 완전 초보자이다.

02 They ______________ for their children every day.
그들은 자녀들을 위해 매일 기도한다.

03 Many people ______________ the leader very cruel.
많은 사람들이 그 지도자를 매우 잔혹하다고 여긴다.

04 The story is based on ______________ fact.
그 이야기는 역사적 사실에 바탕을 두고 있다.

05 The sandwich was ______________ ______________ its inventor.
샌드위치는 그것의 발명가의 이름을 따서 이름 지어졌다.

DAY
20 의견과 생각

듣으며 외우기

어휘력 UPGRADE

01 **obvious** [ábviəs]

형 명백한, 분명한

It is **obvious** that she is lying.
그녀가 거짓말을 하고 있다는 것은 **명백하다**.

obviously 부 분명히

---

02 **positive** [pázitiv]

형 긍정적인

This book had a **positive** influence on me.
이 책은 나에게 **긍정적인** 영향을 끼쳤다.

반의어 negative 부정적인

---

03 **persuade** [pərswéid]

동 설득하다

I **persuaded** her to change her mind.
나는 그녀를 **설득해서** 마음을 바꾸게 했다.

---

04 **certain** [sə́ːrtn]

형 1. 확신하는 2. 어떤

I'm **certain** that he'll do better next time.
나는 그가 다음번에는 더 잘할 거라고 **확신한다**.

She left her hometown for a **certain** reason.
어떤 이유로 그녀는 고향을 떠났다.

certainly 부 확실히

시험 POINT certain의 의미

밑줄 친 단어의 의미로 알맞은 것을 고르시오.

Are you certain about that?

ⓐ sure ⓑ worried ⓒ interested

너는 그것을 확신하니?
ⓑ 걱정하는
ⓒ 흥미 있는
정답 ⓐ

---

05 **probably** [prábəbli]

부 아마

I think the rumor is **probably** true.
내 생각에 그 소문은 **아마** 사실일 것이다.

---

06 **convince** [kənvíns]

동 납득시키다, 확신시키다

He **convinced** me that it wasn't my fault.
그는 그것이 내 잘못이 아님을 나에게 **확신시켰다**.

어휘력 UPGRADE

07 **propose**
[prəpóuz]

동 1. 제안하다, 제의하다 2. 청혼하다

The mayor **proposed** a new plan.
시장은 새로운 계획을 **제안했다**.

He **proposed** to his girlfriend.
그는 여자 친구에게 **청혼했다**.

proposal
명 제안, 청혼

---

08 **argument**
[ɑ́:rgjumənt]

명 1. 논쟁, 말다툼 2. 주장, 논거 (주장의 근거)

They had an **argument** about the policy.
그들은 그 정책에 대해 **논쟁**을 벌였다.

⊕ an **argument** against war 전쟁 반대 주장

argue
동 논쟁하다, 주장하다

---

09 **reject**
[ridʒékt]

동 거부하다, 거절하다

She **rejected** my proposal for several reasons.
그녀는 여러 가지 이유로 나의 제안을 **거절했다**.

rejection 명 거절
반의어 accept
받아들이다, 수락하다

---

10 **insist**
[insíst]

동 주장하다, 고집하다

He **insisted** that he didn't need any help.
그는 어떤 도움도 필요하지 않다고 **주장했다**.

She **insisted** on going alone.
그녀는 혼자 가겠다고 **고집했다**.

---

11 **approve**
[əprú:v]

동 1. 찬성하다 2. 승인하다

Do you **approve** of my idea? 너는 내 생각에 **찬성하니**?

⊕ **approve** a plan 계획을 승인하다

approval
명 찬성, 승인

---

12 **oppose**
[əpóuz]

동 반대하다

Do you support or **oppose** the new law?
당신은 새 법안을 지지하나요 아니면 **반대하나요**?

opposition 명 반대
반의어 support
지지하다

---

13 **settle**
[sétl]

동 1. (논쟁 등을) 해결하다 2. 정착하다 (한 곳에 살다)

Let's **settle** the argument before going home.
집에 가기 전에 논쟁을 **해결하자**.

The couple decided to **settle** in London.
그 부부는 런던에 **정착하기로** 결정했다.

settlement
명 합의, 해결, 정착

어휘력 UPGRADE

14 **intend**
[inténd]

동 **의도하다, 작정하다**

I didn't **intend** to hurt your feelings.
네 감정을 상하게 하려고 **의도한** 것은 아니었어.

⊕ **intend** to ~할 작정이다, ~하려고 의도하다

intention
명 의도, 목적

시험 POINT intend to의 용법

네모 안에서 알맞은 것을 고르시오.

I intend to [stay / staying] here.
나는 여기에 머무를 작정이다.

intend to 다음에는 동사원형을 쓴다.

정답 stay

15 **suppose**
[səpóuz]

동 **1. 추측하다 2. 가정하다**

I **suppose** that he is lying.
나는 그가 거짓말을 하고 있는 것 **같아**.

Suppose a fire broke out. How would we escape? 불이 났다고 **가정해 봐**. 우리는 어떻게 탈출할까?

16 **claim**
[kleim]

동 **1.** (사실이라고) **주장하다 2. 청구[요구]하다**
명 **1. 주장 2.** (보상·배상의) **청구, 요구**

He **claims** that he didn't hear anything.
그는 아무것도 듣지 못했다고 **주장한다**.

⊕ a **claim** for damages 손해 배상 청구

17 **assume**
[əsúːm]

동 **추정하다** (추측하여 판단하다)

We **assume** that the economy will recover.
우리는 경제가 회복될 것이라고 **추정한다**.

assumption
명 추정

18 **associate**
[əsóuʃieit]

동 **연상하다, 연관 짓다**

Many people **associate** cherry blossoms with spring. 많은 사람들이 벚꽃에서 봄을 **연상한다**.

⊕ **associate** *A* with *B* A에서 B를 연상하다

19 **conclude**
[kənklúːd]

동 **결론을 내리다**

Many studies **concluded** that smoking is dangerous. 많은 연구에서 흡연은 위험하다고 **결론을 내렸다**.

conclusion
명 결론

어휘력 UPGRADE

20 **comment**
[kάment]

명 논평(논하여 비평함), 언급 동 논평하다, 의견을 밝히다

The writer received positive **comments** from many readers.
그 작가는 많은 독자들로부터 긍정적인 **논평**을 받았다.

Can you **comment** on this matter?
이 문제에 관해 **논평해** 주시겠어요?

---

21 **abstract**
[ǽbstrækt]

형 추상적인(구체적인 형태가 없는)

His explanation was too **abstract**, so I didn't understand it.
그의 설명은 너무 **추상적이어서** 나는 이해하지 못했다.

⊕ an **abstract** painting 추상화

반의어 concrete 구체적인

---

22 **realistic**
[rìːəlístik]

형 현실적인, 현실성 있는

We must set **realistic** goals.
우리는 **현실적인** 목표를 세워야 한다.

반의어 unrealistic 비현실적인

---

23 **alternative**
[ɔːltə́ːrnətiv]

명 대안(대신할 방법이나 의견), 선택지 형 대안의, 대체 가능한

It's too expensive. Let's find a cheaper **alternative**. 그것은 너무 비싸. 더 저렴한 **대안**을 찾아보자.

⊕ an **alternative** way 대체 가능한 방법

교과서 필수 암기 숙어

24 **make sense**

의미가 통하다, 말이 되다

Your excuses don't **make sense**.
네 변명은 **말이 되지** 않는다.

---

25 **put up with**

~을 참다, ~을 견디다

I can't **put up with** his rude behavior anymore.
나는 그의 무례한 행동을 더 이상 **참을** 수 없다.

Daily Test

STEP 1 빈틈없이 확인하기

[01-25] 영어는 우리말로, 우리말은 영어로 쓰시오.

01 obvious

02 propose

03 reject

04 argument

05 convince

06 insist

07 oppose

08 suppose

09 claim

10 assume

11 comment

12 associate

13 긍정적인

14 확신하는, 어떤

15 설득하다

16 찬성하다, 승인하다

17 아마

18 해결하다, 정착하다

19 의도하다, 작정하다

20 추상적인

21 현실적인

22 결론을 내리다

23 대안; 대체 가능한

24 make sense

25 ~을 참다, ~을 견디다

정답 p.292

STEP 2 제대로 적용하기

A 주어진 단어를 지시대로 바꿔 쓰시오.

단어

01 positive → 반의어 ______________

02 support → 반의어 ______________

03 accept → 반의어 ______________

04 realistic → 반의어 ______________

B 우리말 의미에 맞게 빈칸에 알맞은 말을 쓰시오.

구

01 대체 가능한 방법 an ______________ way

02 추상화 an ______________ painting

03 계획을 승인하다 ______________ a plan

04 손해 배상 청구 a ______________ for damages

C 빈칸에 알맞은 말을 넣어 문장을 완성하시오.

문장

01 Many people ______________ the New Year with hope.
많은 사람들이 새해를 희망과 연관시켜 생각한다.

02 We ______________ to finish it this week.
우리는 이번 주에 그것을 끝낼 작정이다.

03 It seems ______________ that he is wrong.
그가 틀렸다는 것은 명백해 보인다.

04 I can't ______________ ______________ with the noise anymore.
나는 그 소음을 더 이상 참을 수 없다.

05 His answer doesn't ______________ ______________ at all.
그의 대답은 전혀 말이 안 된다.

내신 대비

어휘 Test

PART 4

01 짝지어진 두 단어의 관계가 〈보기〉와 다른 것은?

보기 positive – negative

① normal – abnormal
② target – goal
③ reject – accept
④ abstract – concrete
⑤ immigrate – emigrate

02 빈칸에 공통으로 들어갈 말로 알맞은 것은? DAY 19 시험 POINT

• Their relationship ____________ a secret.
• You can see a lot of ancient ____________ in this museum.

① poses
② claims
③ remains
④ ranks
⑤ means

03 밑줄 친 단어와 바꿔 쓸 수 있는 것은?

Their primary goal is to make a lot of money.

① main
② basic
③ realistic
④ visual
⑤ common

04 밑줄 친 단어의 의미가 올바르지 않은 것은? DAY 16 시험 POINT

① I'll take computer class this term. (학기)
② Jake plays a major role in the school band. (전공)
③ She is famous in the field of classical music. (분야)
④ The plan was a complete failure. (완전한)
⑤ I'm certain that he will succeed. (확신하는)

정답 p.292

05 빈칸에 들어갈 말이 순서대로 바르게 짝지어진 것은? DAY 16, 17 시험 POINT

- You need to concentrate ________ studying in class.
- You can refer ________ the dictionary.
- Where should we set ________ our tent?

① at – for – up ② on – for – in ③ at – to – in
④ on – to – up ⑤ to – with – for

06 문맥상 빈칸에 들어갈 말로 가장 알맞은 것은?

Anna is eager to learn new things and broaden her __________.

① lecture ② status ③ custom
④ belief ⑤ knowledge

07 서술형 다음 영영풀이를 참고하여 빈칸에 들어갈 단어를 주어진 철자로 시작하여 쓰시오.

able to speak a language very well

He has never studied abroad, but he is so f__________ in English.

08 서술형 우리말과 일치하도록 〈조건〉에 맞게 문장을 완성하시오. DAY 18 시험 POINT

비행기에서 흡연은 금지되어 있다.

→ Smoking ________________________ on the plane.

조건 1. forbid, be를 사용할 것
2. 필요시 단어를 알맞은 형태로 바꿀 것

PART 5

DAY

21 문학

들으며 외우기

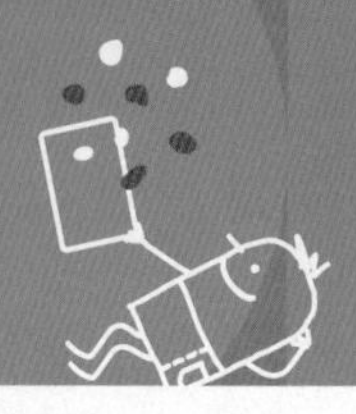

어휘력 UPGRADE

01 **literature** [lítərətʃuər]

명 문학

Students should read great works of **literature**.
학생들은 위대한 **문학** 작품을 읽어야 한다.

⊕ English **literature** 영문학

literary 형 문학의

---

02 **author** [ɔ́:θər]

명 작가, 저자 (글을 쓴 사람)

She is the **author** of this book. 그녀는 이 책의 **저자**이다.

⊕ a best-selling **author** 베스트셀러 작가

유의어 writer

---

03 **content** [kántent]

명 1. 내용, 주제 2. 안에 든 것, 내용물 형 만족하는

The book's **content** is based on a true story.
그 책의 **내용**은 실화를 바탕으로 한다.

Nobody knew the **contents** of his suitcase.
아무도 그의 여행가방 **안에 든 것**을 몰랐다.

He is **content** with his life. 그는 자신의 삶에 **만족한다**.

⊕ be **content** with ~에 만족하다

'무언가의 안에 든 것, 내용물'의 의미일 때는 항상 복수형으로 써요.

---

04 **theme** [θi:m]

명 주제, 테마

What's the main **theme** of the play?
그 연극의 주요한 **주제**는 무엇인가요?

---

05 **version** [və́:rʒən]

명 (이전과 다른) 판, 형태

I read the English **version** of the novel.
나는 그 소설의 영문**판**을 읽었다.

⊕ the latest **version** 최신판

---

06 **criticize** [krítisaiz]

동 비판하다, 비난하다

The poem was **criticized** by many people.
그 시는 많은 사람들의 **비판을 받았다**.

criticism
명 비판, 비난

어휘력 UPGRADE

07 **context**
[kántekst]

명 **문맥, 맥락** (어떤 일의 전후 사정)

You can understand the word better in **context**.
너는 **문맥** 안에서 그 단어를 더 잘 이해할 수 있다.

---

08 **proverb**
[právəːrb]

명 **속담**

An old **proverb** says that time is money.
시간은 돈이라는 옛 **속담**이 있다.

유의어 saying

---

09 **inspire**
[inspáiər]

동 **1. 격려하다, 고무하다** (용기를 주다) **2. 영감을 주다** (아이디어나 자극을 주다)

The coach **inspired** the players to do their best.
그 코치는 선수들이 최선을 다하도록 **격려했다**.

This story was **inspired** by a song.
이 이야기는 어떤 노래에서 **영감을 받았다**.

⊕ be **inspired** by ~에서 영감을 받다

inspiration
명 영감(을 주는 것)

유의어 encourage
격려하다

---

10 **regard**
[rigáːrd]

동 (~라고) **여기다[생각하다]**

Many people **regarded** her as a great writer.
많은 사람들이 그녀를 훌륭한 작가로 **여겼다**.

⊕ **regard** *A* as *B* A를 B라고 여기다[생각하다]

시험 POINT **regard의 용법**

네모 안에서 알맞은 것을 고르시오.

We regarded Jack [as / for] a liar.
우리는 Jack을 거짓말쟁이라고 생각했다.

regard *A* as *B*:
A를 B라고 생각하다

정답 as

---

11 **fiction**
[fíkʃən]

명 **1. 소설 2. 허구** (사실이 아닌 이야기)

He has written historical **fiction**.
그는 역사 **소설**을 썼다.

⊕ fact and **fiction** 사실과 허구

반의어 nonfiction
논픽션(사실에 근거하여 쓴 작품), 비소설

---

12 **mystery**
[místəri]

명 **1. 수수께끼, 미스터리 2. 추리소설**

It's a complete **mystery** to us.
그것은 우리에게 완전한 **미스터리**이다.

Anna enjoys reading **mysteries**.
Anna는 **추리소설** 읽는 것을 즐긴다.

mysterious
형 불가사의한

어휘력 UPGRADE

13 **tragedy**
[trǽdʒədi]

명 비극

Romeo and Juliet is a **tragedy**, not a romance.
'로미오와 줄리엣'은 연애담이 아니라 **비극**이다.

tragic 형 비극적인

---

14 **imagination**
[imæ̀dʒənéiʃən]

명 상상, 상상력

The stories are full of **imagination**.
그 이야기들은 **상상**으로 가득 차 있다.

+ a lack of **imagination** 상상력의 부족

imagine 동 상상하다
imaginary 형 상상의, 가상의

---

15 **publish**
[pʌ́bliʃ]

동 출판하다, 발행하다 (책 등을 세상에 내놓다)

The book was **published** in five languages.
그 책은 5개 언어로 **출판되었다**.

publication 명 출판
publisher 명 출판사, 발행인

---

16 **highly**
[háili]

부 1. 대단히, 매우 2. 고도로 (높은 수준으로)

Her first book was **highly** successful.
그녀의 첫 번째 책은 **대단히** 성공적이었다.

He is a **highly** skilled engineer.
그는 **고도로** 숙련된 기술자이다.

highly를 '높이, 높게'라는 뜻의 부사로 생각하지 않도록 주의하세요.

시험 POINT high vs. highly

각 네모 안에서 알맞은 것을 고르시오.

1. A bird is flying [high / highly].
2. This is a [high / highly] important question.

1. 새가 높이 날고 있다.
2. 이것은 매우 중요한 질문이다.

정답 1. high 2. highly

---

17 **illustrate**
[íləstreit]

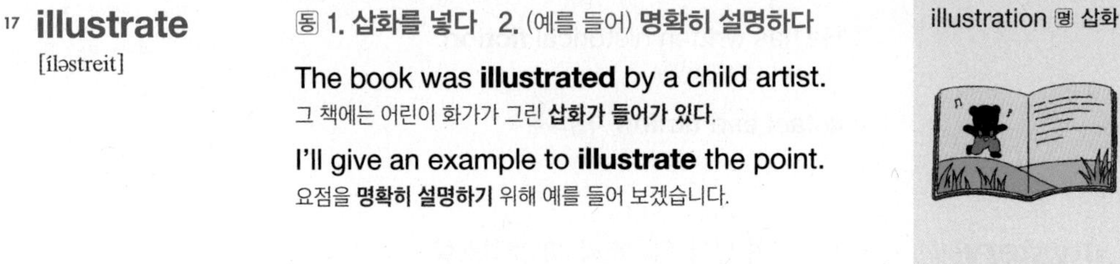

동 1. 삽화를 넣다 2. (예를 들어) **명확히 설명하다**

The book was **illustrated** by a child artist.
그 책에는 어린이 화가가 그린 **삽화가 들어가 있다**.

I'll give an example to **illustrate** the point.
요점을 **명확히 설명하기** 위해 예를 들어 보겠습니다.

illustration 명 삽화

---

18 **edit**
[édit]

동 수정하다, 편집하다 (자료를 모아 만들다)

All books should be **edited** before publishing.
모든 도서는 출판하기 전에 **편집되어야** 한다.

editor 명 편집자, 에디터

어휘력 UPGRADE

19 **classic** [klǽsik]

형 1. (작품 등이) **일류의, 고전의** 2. **전형적인**
명 **고전, 명작**

The wizard of Oz is a **classic** film.
'오즈의 마법사'는 **고전** 영화이다.

Gulliver's Travels is considered a **classic** of English literature.
'걸리버 여행기'는 영문학의 **고전**으로 여겨진다.

⊕ a **classic** example 전형적인 예

---

20 **biography** [baiɑ́:grəfi]

명 **전기** (한 사람의 일생을 적은 기록)

I read a **biography** of Einstein.
나는 아인슈타인 **전기**를 읽었다.

자신의 일생을 소재로 쓴 책은 autobiography(자서전)라고 해요.

---

21 **meaning** [mí:niŋ]

명 **의미**

Some words have several different **meanings**.
어떤 단어는 여러 다른 **의미**를 가지고 있다.

mean 동 의미하다
meaningful 형 의미 있는

---

22 **sentence** [séntəns]

명 **문장**

Describe yourself in a single **sentence**.
네 자신을 한 **문장**으로 묘사해라.

---

23 **phrase** [freiz]

명 **구, 어구**

Have you ever heard the **phrase** 'global warming'? '지구 온난화'라는 **어구**를 들어본 적 있니?

교과서 필수 암기 숙어

24 **devote oneself to**

~에 전념하다

She has **devoted herself to** writing novels for years.
그녀는 수년간 소설을 쓰는 것**에 전념했다**.

---

25 **as usual**

평소와 같이, 늘 그렇듯

As usual, I fell asleep while reading a book.
늘 그렇듯 나는 책을 읽다가 잠이 들었다.

Daily Test

STEP 1 빈틈없이 확인하기

[01-25] 영어는 우리말로, 우리말은 영어로 쓰시오.

01 author

02 meaning

03 phrase

04 context

05 proverb

06 regard

07 tragedy

08 illustrate

09 version

10 highly

11 classic

12 biography

13 문학

14 내용; 만족하는

15 주제, 테마

16 문장

17 소설, 허구

18 격려하다, 영감을 주다

19 미스터리, 추리소설

20 상상, 상상력

21 출판하다

22 비판하다

23 수정하다, 편집하다

24 devote oneself to

25 평소와 같이, 늘 그렇듯

정답 p.293

STEP 2 제대로 적용하기

A 단어

주어진 단어를 의미에 맞게 바꿔 쓰시오.

01 mystery → 불가사의한 ____________

02 tragedy → 비극적인 ____________

03 criticize → 비판, 비난 ____________

04 meaning → 의미 있는 ____________

05 illustrate → 삽화 ____________

B 구

우리말 의미에 맞게 빈칸에 알맞은 말을 쓰시오.

01 베스트셀러 작가 a best-selling ____________

02 사실과 허구 fact and ____________

03 상상력의 부족 a lack of ____________

04 아인슈타인 전기 a ____________ of Einstein

05 최신판 the latest ____________

C 문장

보기에서 알맞은 말을 골라 문장을 완성하시오.

보기	regard	devoted	inspired	content	published

01 He is not ____________ with his grade.

02 This picture was ____________ by a beautiful girl.

03 Most people ____________ Hemingway as a great writer.

04 Her diary was ____________ in many languages.

05 The artist ____________ himself to painting all his life.

DAY

22 공연과 예술

어휘력 UPGRADE

01 **performance** [pərfɔ́:rməns]

명 1. 공연 2. 성과, 실적

This is the band's first live **performance**.
이것은 그 밴드의 첫 번째 라이브 **공연**이다.

His **performance** at school was poor.
그의 학교 **성적**은 좋지 않았다.

perform
동 공연하다

---

02 **audience** [ɔ́:diəns]

명 관객, 청중

The **audience** began cheering.
관객들이 환호하기 시작했다.

---

03 **applaud** [əplɔ́:d]

동 박수를 치다

We **applauded** loudly when he came on stage.
그가 무대 위로 나왔을 때 우리는 크게 **박수를 쳤다**.

유의어 clap
일상생활에서는 주로 clap을 사용해요.

---

04 **brilliant** [bríljənt]

형 1. 훌륭한, 멋진 2. 매우 밝은, 눈부신

Their performance was absolutely **brilliant**.
그들의 공연은 굉장히 **훌륭했다**.

+ a **brilliant** sunshine 눈부시게 밝은 햇살

---

05 **costume** [kástju:m]

명 의상, 복장

The boy is wearing a cowboy **costume** for the play. 그 소년은 연극을 위해 카우보이 **복장**을 입고 있다.

+ a traditional **costume** 전통 의상

custom(관습)과 헷갈리지 않도록 주의하세요.

시험 POINT costume vs. custom

네모 안에서 알맞은 것을 고르시오.

Do you need a Halloween [costume / custom]?
너는 핼러윈 의상이 필요하니?

costume: 의상
custom: 관습

정답 costume

어휘력 UPGRADE

06 **successful** [səksésfəl]

형 성공한, 성공적인

The musical was highly **successful** on Broadway. 그 뮤지컬은 브로드웨이에서 대단히 **성공적이었다**.

⊕ a **successful** businessman 성공한 사업가

success 명 성공

---

07 **compose** [kəmpóuz]

동 1. 작곡하다 2. 구성하다

Mozart **composed** his first opera when he was 12. 모차르트는 열두 살 때 그의 첫 오페라를 **작곡했다**.

The book is **composed** of five chapters.
그 책은 5개의 장으로 **구성되어 있다**.

⊕ be **composed** of ~로 구성되다

composer 명 작곡가

---

08 **lyric** [lírik]

명 (노래의) 가사

The poet wrote the **lyrics** of the song.
그 시인이 그 노래의 **가사**를 썼다.

---

09 **particular** [pərtíkjulər]

형 1. 특정한 2. 특별한

Do you enjoy a **particular** type of music?
당신은 **특정한** 종류의 음악을 즐기나요?

I don't have any **particular** plans today.
나는 오늘 **특별한** 계획이 없다.

⊕ in **particular** 특히

particularly 부 특히

유의어
specific 특정한
special 특별한

---

10 **conduct** [kəndʌ́kt]

동 1. 지휘하다 2. (특정 활동을) 수행하다, 실시하다

He has **conducted** the orchestra since 2000.
그는 2000년부터 그 오케스트라를 **지휘해** 왔다.

⊕ **conduct** a survey 설문조사를 실시하다

conductor 명 지휘자

---

11 **genius** [dʒíːniəs]

명 천재, 뛰어난 재능

She is a musical **genius**. 그녀는 음악 **천재**이다.

---

12 **admire** [ədmáiər]

동 존경하다

I really **admire** her passion for music.
나는 음악에 대한 그녀의 열정을 진심으로 **존경한다**.

admiration 명 존경

13 **exhibit**
[igzíbit]

동 전시하다 명 전시품

The gallery will **exhibit** Picasso's paintings.
그 미술관은 피카소의 그림을 **전시할** 것이다.

Please don't touch the **exhibits**.
전시품을 만지지 마세요.

exhibition 명 전시

---

14 **represent**
[rèprizént]

동 1. 나타내다, 상징하다 2. 대표하다

The yellow dots in this painting **represent** stars.
이 그림의 노란색 점은 별을 **나타낸다**.

Jason **represented** his company at the event.
Jason은 그 행사에서 그의 회사를 **대표했다**.

---

15 **imitate**
[ímiteit]

동 모방하다 (본떠서 만들다)

Many artists **imitated** his drawing style.
많은 예술가들이 그의 그림 양식을 **모방했다**.

imitation
명 모방, 모조품

---

16 **sculpture**
[skʌ́lptʃər]

명 조각, 조각품

The artist made a **sculpture** out of stone.
그 예술가는 돌을 가지고 **조각품**을 만들었다.

---

17 **carve**
[kɑːrv]

동 조각하다, 깎아서 만들다

I **carved** an elephant from a block of wood.
나는 나무토막을 **깎아서** 코끼리를 **만들었다**.

---

18 **memorable**
[mémərəbl]

형 기억할 만한, 기억에 남는

The exhibition was especially **memorable**.
그 전시회는 특히 **기억에 남았다**.

memory 명 기억

---

19 **technique**
[tekníːk]

명 기법, 기술

He developed a new photography **technique**.
그는 새로운 사진 **기술**을 개발했다.

technical
형 기법의, 기술의

어휘력 UPGRADE

20 **genuine**
[dʒénjuin]

형 진짜의, 진품의

We believed that the painting was **genuine**.
우리는 그 그림이 **진품이라고** 믿었다.

21 **fake**
[feik]

형 가짜의, 모조의 (따라서 만든)

The sculpture in the gallery turned out to be **fake.** 그 미술관의 조각품이 **가짜로** 드러났다.

⊕ **fake** fur 인조 모피

22 **appreciate**
[əpríːʃieit]

동 1. 고마워하다 2. 가치를 인정하다[알아보다]

I **appreciated** your advice. 당신의 조언에 **감사드립니다**.
Many critics **appreciated** the movie.
많은 비평가들이 그 영화의 **가치를 인정했다**.

appreciation
명 감사, 감상

시험 POINT appreciate의 용법

네모 안에서 알맞은 것을 고르시오.

I really [appreciate / appreciate for] your visit.
방문해 주셔서 정말 감사합니다.

appreciate 다음에는 전치사를 쓰지 않는다.

정답 appreciate

23 **masterpiece**
[mǽstərpiːs]

명 걸작 (매우 훌륭한 작품)

The *Mona Lisa* is one of Leonardo da Vinci's **masterpieces.**
'모나리자'는 레오나르도 다 빈치의 **걸작** 중 하나이다.

master(거장)+piece(작품)

교과서 필수 암기 숙어

24 **in advance**

미리, 사전에

I bought the concert ticket **in advance.**
나는 콘서트 표를 **미리** 구입했다.

25 **turn down**

거절하다

The actor **turned down** the role of a spy.
그 배우는 스파이 역할을 **거절했다**.

Daily Test

STEP 1 빈틈없이 확인하기

[01-25] 영어는 우리말로, 우리말은 영어로 쓰시오.

01 applaud

02 brilliant

03 performance

04 lyric

05 particular

06 conduct

07 admire

08 genuine

09 technique

10 sculpture

11 appreciate

12 carve

13 작곡하다, 구성하다

14 관객, 청중

15 의상, 복장

16 성공한, 성공적인

17 천재, 뛰어난 재능

18 전시하다; 전시품

19 나타내다, 대표하다

20 가짜의, 모조의

21 기억할 만한

22 모방하다

23 걸작

24 turn down

25 미리, 사전에

정답 p.293

STEP 2 제대로 적용하기

A 주어진 단어를 의미에 맞게 바꿔 쓰시오.

단어

01 perform → 공연, 성과 ______________

02 imitate → 모방, 모조품 ______________

03 admire → 존경 ______________

04 exhibit → 전시 ______________

05 technique → 기법의, 기술의 ______________

B 우리말 의미에 맞게 빈칸에 알맞은 말을 쓰시오.

구

01 전통 의상 a traditional ______________

02 성공한 사업가 a ______________ businessman

03 눈부시게 밝은 햇살 a ______________ sunshine

04 음악 천재 a musical ______________

05 인조 모피 ______________ fur

C 보기에서 알맞은 말을 골라 문장을 완성하시오.

문장

보기	advance	composed	memorable	particular	conducted

01 This poem is ______________ of 12 lines.

02 You can be sensitive to a ______________ type of food.

03 Our trip to India was ______________ for many reasons.

04 Jason has ______________ the school orchestra for three years.

05 It's cheaper if you book the tickets in ______________.

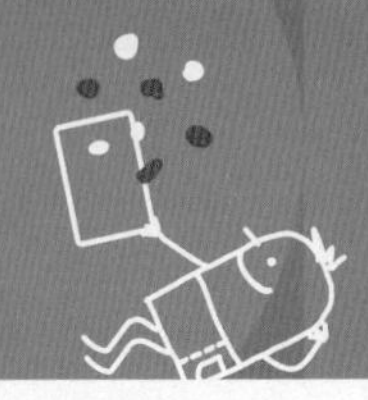

DAY 23 방송과 언론

듣으며 외우기

01 **broadcast** [brɔ́ːdkæst] broadcast-broadcast

동 방송하다 명 방송

The concert will be **broadcast** live.
그 콘서트는 실시간으로 **방송될** 것이다.

⊕ a live **broadcast** 생방송
a news **broadcast** 뉴스 방송

02 **mass media** [mǽs míːdiə]

명 대중 매체

People are greatly influenced by **mass media**.
사람들은 **대중 매체**의 영향을 많이 받는다.

mass(대규모의, 대중적인)+media(매체)

03 **announce** [ənáuns]

동 (공식적으로) 발표하다, 알리다

He **announced** his retirement from soccer.
그는 축구에서의 은퇴를 **발표했다**.

announcement 명 발표
announcer 명 방송 진행자, 아나운서

04 **attention** [əténʃən]

명 1. 주의, 주목 2. 관심, 흥미

Please pay **attention** to this matter.
이 문제에 **주목**해 주시길 바랍니다.

They tried to attract media **attention**.
그들은 언론의 **관심**을 끌려고 노력했다.

⊕ pay **attention** to ~에 주목하다

05 **widespread** [wáidspred]

형 널리 퍼진, 광범위한

The news caused **widespread** anger across the country. 그 뉴스는 전국적으로 **광범위한** 분노를 일으켰다.

wide(넓게)+spread(퍼지다)

06 **latest** [léitist]

형 (가장) 최근의, 최신의

People can get the **latest** news from the internet.
사람들은 인터넷을 통해 **최신** 뉴스를 접할 수 있다.

어휘력 UPGRADE

07 **accurate** [ǽkjərət]

형 정확한

I watch the news to get **accurate** information.
나는 **정확한** 정보를 얻기 위해 뉴스를 본다.

+ historically **accurate** 역사적으로 정확한

accurately
부 정확히

반의어 inaccurate
부정확한

시험 POINT accurate의 의미

밑줄 친 단어의 의미로 알맞은 것을 고르시오.

Her description of the man was accurate.

ⓐ true and correct
ⓑ full of energy
ⓒ hard to believe

그 남자에 대한 그녀의 묘사는 정확했다.
ⓐ 사실이고 올바른
ⓑ 기운이 넘치는
ⓒ 믿기 어려운

정답 ⓐ

08 **entertain** [èntərtéin]

동 즐겁게 해주다

He **entertained** the audience with his music.
그는 음악으로 관객들을 **즐겁게 해주었다**.

entertainer
명 연예인

09 **talent** [tǽlənt]

명 (타고난) 재능, 재능 있는 사람

She showed a great **talent** for acting.
그녀는 연기에 대한 뛰어난 **재능**을 보여주었다.

talented
형 재능 있는, 유능한

10 **host** [houst]

명 1. (프로그램의) 진행자 2. 주인, 주최자
동 (행사를) 주최하다, 열다

Mr. Yu is a famous talk show **host**.
Mr. Yu는 유명한 토크 쇼 **진행자**이다.

South Korea **hosted** the Winter Olympics in 2018. 한국은 2018년에 동계 올림픽을 **주최했다**.

TV나 라디오 프로그램의 진행자는 host, 초대받은 사람은 guest라고 해요.

11 **fame** [feim]

명 명성

She gained **fame** as a pianist and composer.
그녀는 피아니스트이자 작곡가로 **명성**을 얻었다.

famous 형 유명한

12 **staff** [stæf]

명 직원, 스태프

They're part of the film festival's **staff**.
그들은 그 영화제 **직원** 중 일부이다.

staff는 직원 전체를 의미하는 집합 명사예요. 직원 한 명을 가리킬 때는 a staff member라고 해요.

13 **shoot**
[ʃuːt]
shot-shot

동 1. (총을) **쏘다** 2. (영화·사진을) **촬영하다**

The soldier is **shooting** at the target.
그 군인은 표적에 **총을 쏘고** 있다.

The movie was **shot** in Spain.
그 영화는 스페인에서 **촬영되었다**.

---

14 **script**
[skript]

명 **대본, 원고**

She wrote a **script** for a short film.
그녀는 단편 영화의 **대본**을 썼다.

---

15 **article**
[ɑ́ːrtikl]

명 (신문·잡지의) **기사, 글**

I read an interesting **article** about cars of the future. 나는 미래의 자동차에 관한 흥미로운 **기사**를 읽었다.

⊕ a newspaper **article** 신문 기사

---

16 **inform**
[infɔ́ːrm]

동 **알리다, 통지하다**

The role of journalism is to **inform** people about world events.
언론의 역할은 사람들에게 세계의 사건들에 대해 **알려주는** 것이다.

⊕ **inform** *A* of[about] *B* A에게 B에 대해 알려주다

information 명 정보

---

17 **reveal**
[rivíːl]

동 **드러내다, 밝히다, 폭로하다**

A reporter **revealed** the truth about the accident. 한 기자가 그 사고에 관한 진실을 **밝혔다**.

⊕ **reveal** a secret 비밀을 폭로하다

---

18 **section**
[sékʃən]

명 **부분, 부문,** (신문의) **면**

You can find the book in the history **section**.
그 책은 역사 **부문**에서 찾을 수 있다.

⊕ the sports **section** (신문의) 스포츠면

---

19 **analyze**
[ǽnəlaiz]

동 **분석하다, 검토하다**

Their job is to collect and **analyze** information.
그들의 일은 정보를 수집하고 **분석하는** 것이다.

analysis 명 분석

어휘력 UPGRADE

20 **reality** [riǽləti]

명 **현실, 실제 상황**

I think time travel will become a **reality**.
나는 시간 여행이 **현실**이 될 것이라고 생각한다.

+ face **reality** 현실을 직시하다

real 형 실제의

실화를 바탕으로 만들어진 TV 프로그램을 reality show(리얼리티 쇼)라고 해요.

---

21 **channel** [tʃǽnl]

명 (TV·라디오의) **채널**

I changed the **channel** to watch the football game. 나는 축구 경기를 보려고 **채널**을 바꾸었다.

+ a news[movie/music] **channel** 뉴스[영화/음악] 채널

channel에는 n이 두 번 들어가니 철자에 주의하세요.

---

22 **advertise** [ǽdvərtaiz]

동 **광고하다**

How much does it cost to **advertise** on TV?
TV에 **광고하려면** 비용이 얼마나 드나요?

advertisement
명 광고

---

23 **volume** [válju:m]

명 **1. 음량, 볼륨 2.** (~의) **양, 분량**

Could you turn up the **volume**?
볼륨을 높여주시겠어요?

+ the **volume** of traffic 교통량

교과서 필수 암기 숙어

24 **make up one's mind**

결심하다, 결정하다

I **made up my mind** to reveal the secret.
나는 비밀을 폭로하기로 **결심했다**.

시험 POINT **make up one's mind의 의미**

밑줄 친 부분의 의미로 알맞은 것을 고르시오.

It's time to make up your mind.

ⓐ change ⓑ give up ⓒ decide

결정을 할 때이다.
ⓐ 바꾸다 ⓑ 포기하다

정답 ⓒ

---

25 **as a result**

결과적으로, 그 결과

Jack made a big mistake. **As a result**, he lost his job.
Jack은 큰 실수를 저질렀다. **그 결과**, 그는 직장을 잃었다.

Daily Test

STEP 1 빈틈없이 확인하기

[01-25] 영어는 우리말로, 우리말은 영어로 쓰시오.

01 announce

02 attention

03 widespread

04 entertain

05 latest

06 accurate

07 fame

08 section

09 inform

10 reveal

11 channel

12 volume

13 방송하다; 방송

14 대중 매체

15 대본, 원고

16 직원, 스태프

17 재능, 재능있는 사람

18 진행자, 주인; 주최하다

19 (총을) 쏘다, 촬영하다

20 기사, 글

21 분석하다, 검토하다

22 광고하다

23 현실, 실제 상황

24 make up one's mind

25 결과적으로, 그 결과

정답 p.294

STEP 2 제대로 적용하기

A 단어

주어진 단어를 의미에 맞게 바꿔 쓰시오.

01 announce → 발표 ______________

02 famous → 명성 ______________

03 advertise → 광고 ______________

04 analyze → 분석 ______________

05 real → 현실, 실제 상황 ______________

B 구

우리말 의미에 맞게 빈칸에 알맞은 말을 쓰시오.

01 생방송 a live ______________

02 최신 뉴스 the ______________ news

03 토크 쇼 진행자 a talk show ______________

04 신문 기사 a newspaper ______________

05 영화 채널 a movie ______________

C 문장

보기에서 알맞은 말을 골라 문장을 완성하시오.

보기	accurate	section	mind	result	reveal

01 She made up her ______________ to end the relationship.

02 The film is not historically ______________.

03 A reporter said that he would ______________ the truth.

04 Most newspapers have the sports ______________.

05 Jake injured his leg during the game. As a ______________, we lost.

DAY
24 사회 문제

들으며 외우기

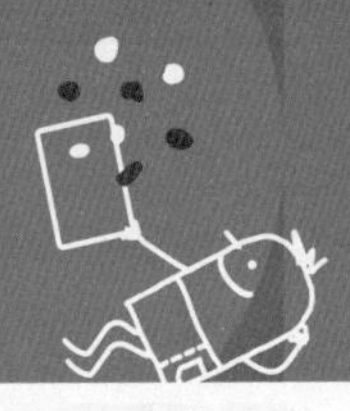

어휘력 UPGRADE

01 **issue** [íʃuː]

명 **안건, 쟁점, 문제**

They discussed a number of important **issues**.
그들은 여러 중요한 **쟁점들**을 논의했다.

⊕ an environmental **issue** 환경 문제

02 **solution** [səlúːʃən]

명 **해결책,** (문제의) **해답**

There are two possible **solutions** to this problem. 이 문제에는 두 가지의 가능한 **해결책**이 있습니다.

⊕ find a **solution** 해법[해답]을 찾다

solve
동 (문제를) 풀다, 해결하다

03 **personal** [pə́rsənl]

형 **개인적인, 사적인**

May I ask you a **personal** question?
사적인 질문을 해도 될까요?

⊕ a **personal** opinion 개인적인 의견

04 **hunger** [hʌ́ŋgər]

명 **배고픔, 기아** (굶주린 상태)

Thousands of children are dying from **hunger**.
수천 명의 아이들이 **기아**로 죽고 있다.

⊕ die from[of] **hunger** 기아로 인해 죽다

hungry
형 배고픈, 굶주린

05 **poverty** [pávərti]

명 **가난, 빈곤**

Two-thirds of the people in India live in **poverty**.
인도에서는 인구의 3분의 2가 **빈곤**하게 산다.

⊕ in **poverty** 빈곤[가난]하게

06 **shelter** [ʃéltər]

명 **1. 주거지 2. 피난처, 보호소**

Human beings need food and **shelter**.
인간은 음식과 **주거지**가 필요하다.

⊕ an animal **shelter** 동물 보호소

어휘력 UPGRADE

07 **concern**
[kənsə́ːrn]

명 1. 걱정, 우려 2. 관심(사) 동 걱정시키다

There is growing **concern** about global warming. 지구 온난화에 대한 **우려**가 증가하고 있다.

Our main **concern** is to reduce crime.
우리의 주요 **관심사**는 범죄를 줄이는 것입니다.

What **concerns** me is our lack of experience.
나를 **걱정시키는** 것은 우리의 경험 부족이다.

---

08 **moral**
[mɔ́ːrəl]

형 도덕과 관련된, 도덕적인

Racism is a **moral** issue. 인종주의는 **도덕적인** 문제이다.

+ a **moral** judgment 도덕적 판단

---

09 **minority**
[mainɔ́ːrəti]

명 1. 소수 2. (사회 내의) 소수 집단

Only a **minority** of people speak the language.
소수의 사람들만이 그 언어를 사용한다.

+ racial **minorities** 인종적 소수 집단

반의어 majority
대다수

---

10 **incident**
[ínsidənt]

명 사건, 일

I reported the **incident** to the police.
나는 그 **사건**을 경찰에 알렸다.

accident: 우연히 일어난 사고
incident: 의도적으로 발생한 사건

---

11 **occur**
[əkə́ːr]
occurred-occurred

동 일어나다, 발생하다

Traffic accidents often **occur** on rainy days.
비 오는 날에 교통사고가 자주 **발생한다**.

유의어 happen

시험 POINT occur의 용법

네모 안에서 알맞은 것을 고르시오.

The second explosion [occurred / was occurred] an hour later.
한 시간 후에 두 번째 폭발이 일어났다.

occur는 수동태로 쓰지 않는다.

정답 occurred

---

12 **instance**
[ínstəns]

명 사례, 경우

There are several **instances** of violence at the school. 학교에서 일어난 폭력의 여러 **사례들**이 있다.

+ for **instance** 예를 들면

어휘력 UPGRADE

13 criminal
[krímínl]

명 범죄자, 범인 형 범죄의

He was treated like a **criminal**.
그는 **범죄자**처럼 취급당했다.

⊕ **criminal** behavior 범죄 행위

crime 명 범죄

---

14 violent
[váiələnt]

형 폭력적인, 난폭한

The FBI reported that **violent** crime increased last year. FBI는 지난해 **폭력적인** 범죄가 증가했다고 보고했다.

violence 명 폭력

---

15 commit
[kəmít]
committed-committed

동 (범죄 등을) **저지르다**

The young man **committed** many crimes.
그 청년은 많은 범죄를 **저질렀다**.

⊕ **commit** a crime 범죄를 저지르다

---

16 suspect
동사 [səspékt]
명사 [sʌ́spekt]

동 의심하다 명 용의자

The police **suspected** him of lying.
경찰은 그가 거짓말하고 있다고 **의심했다**.

A **suspect** was arrested. **용의자**가 체포되었다.

---

17 murder
[mə́ːrdər]

명 살인(죄), 살해 동 살해하다

He is in prison for **murder**. 그는 **살인죄**로 감옥에 있다.

Many people are **murdered** every year.
매년 많은 사람들이 **살해된다**.

murderer 명 살인자

---

18 victim
[víktim]

명 희생자, 피해자

Our aim is to help the **victims** of the earthquake.
우리의 목적은 그 지진의 **피해자들**을 돕는 것이다.

⊕ a **victim** of crime 범죄의 희생자

19 rescue
[réskjuː]

동 구하다, 구조하다 명 구조, 구출

A child was **rescued** from a burning house.
한 아이가 불타는 집에서 **구조되었다**.

⊕ a **rescue** team 구조대

어휘력 UPGRADE

20 **clue**
[kluː]

명 단서, 실마리

They are searching for **clues** about the incident.
그들은 그 사건에 대한 **단서**를 찾고 있다.

---

21 **investigate**
[invéstəɡeit]

동 조사하다, 연구하다

He is **investigating** the sudden death of a man.
그는 한 남자의 갑작스러운 죽음에 대해 **조사하고** 있다.

investigation
명 조사, 연구

---

22 **abandon**
[əbǽndən]

동 1. 버리다 2. 포기하다, 단념하다

Please do not **abandon** your pets.
반려동물을 **버리지** 마세요.

We **abandoned** the plan because of the bad weather. 우리는 나쁜 날씨 때문에 그 계획을 **포기했다**.

abandoned
형 버려진, 유기된

---

23 **approach**
[əpróutʃ]

동 다가가다, 접근하다 명 접근(법)

When the police **approached** the man, he raised his hands.
경찰이 그 남자에게 **다가가자** 그는 손을 들었다.

We need a different **approach**.
우리는 다른 **접근법**이 필요하다.

시험 POINT approach의 용법

네모 안에서 알맞은 것을 고르시오.

A cat [approached / approached to] us.
고양이 한 마리가 우리에게 다가왔다.

approach 다음에는 전치사를 쓰지 않는다.

정답 approached

교과서 필수 암기 숙어

24 **cut in line**

새치기하다

I got angry when someone **cut in line** in front of me.
누군가 내 앞에서 **새치기를 했을** 때 나는 화가 났다.

---

25 **lead to**

~로 이어지다, ~을 초래하다 (어떤 상황을 일으키다)

Careless driving can **lead to** an accident.
부주의한 운전은 사고**로 이어질** 수 있다.

Daily Test

STEP 1 빈틈없이 확인하기

[01-25] 영어는 우리말로, 우리말은 영어로 쓰시오.

01 issue

02 concern

03 personal

04 shelter

05 incident

06 occur

07 instance

08 commit

09 rescue

10 investigate

11 murder

12 abandon

13 해결책, 해답

14 가난, 빈곤

15 배고픔, 기아

16 도덕적인

17 소수, 소수 집단

18 범죄자; 범죄의

19 폭력적인, 난폭한

20 단서, 실마리

21 의심하다; 용의자

22 희생자, 피해자

23 접근하다; 접근(법)

24 lead to

25 새치기하다

정답 p.294

STEP 2 제대로 적용하기

A 단어

주어진 단어를 의미에 맞게 바꿔 쓰시오.

01 solve → 해결책, 해답 ______________

02 criminal → 범죄 ______________

03 investigate → 조사, 연구 ______________

04 violent → 폭력 ______________

B 구

우리말 의미에 맞게 빈칸에 알맞은 말을 쓰시오.

01 동물 보호소 an animal ______________

02 도덕적 판단 a ______________ judgment

03 범죄를 저지르다 ______________ a crime

04 범죄의 희생자 a ______________ of crime

05 구조대 a ______________ team

06 개인적인 의견 a ______________ opinion

C 문장

빈칸에 알맞은 말을 넣어 문장을 완성하시오.

01 It's time to take a new ______________. 새로운 접근법을 취할 때이다.

02 Did you see the man ______________ ______________ ______________?
저 남자가 새치기하는 거 봤어?

03 Many Africans are dying from ______________ and disease.
많은 아프리카인들이 기아와 질병으로 죽고 있다.

04 Family trouble can ______________ ______________ social problems.
가정불화는 사회 문제로 이어질 수 있다.

25 상황 묘사

들으며 외우기

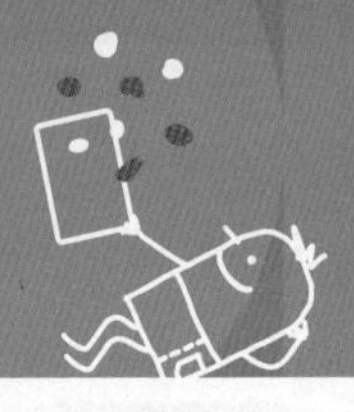

어휘력 UPGRADE

01 **pleasant** [plézənt]
형 즐거운, 기분 좋은
We spent a **pleasant** evening at the party.
우리는 파티에서 **즐거운** 저녁 시간을 보냈다.
- pleasure 명 기쁨
- 반의어 unpleasant 불쾌한

02 **peaceful** [pí:sfəl]
형 평화로운
They enjoyed a **peaceful** day at the beach.
그들은 해변에서 **평화로운** 하루를 즐겼다.
- peace 명 평화

03 **formal** [fɔ́:rməl]
형 1. 격식을 차린 2. 공식적인
She wore **formal** clothes for the interview.
그녀는 면접을 위해 **격식을 차린** 옷을 입었다.
⊕ a **formal** request 공식적인 요청
- 반의어 informal 격식을 차리지 않는, 비공식의

04 **appropriate** [əpróupriət]
형 적절한, 적합한
When is the **appropriate** time to plant seeds?
씨를 뿌리기 **적절한** 시기는 언제인가요?
- 반의어 inappropriate 부적절한

05 **impossible** [impɑ́:səbl]
형 불가능한
It's **impossible** to live without air and water.
공기와 물 없이 사는 것은 **불가능하다**.
⊕ an **impossible** dream 불가능한 꿈
- 반의어 possible 가능한

06 **complicated** [kɑ́:mpləkeitid]
형 복잡한
The instructions are quite **complicated**.
그 사용 설명서는 꽤 **복잡하다**.
- 유의어 complex

07 **circumstance** [sə́:rkəmstæns]
명 상황, 환경
It's difficult to remain calm under the **circumstances**.
그런 **상황**에서 침착함을 유지하는 것은 어렵다.

어휘력 UPGRADE

08 **confuse**
[kənfjúːz]

동 1. 혼란스럽게 하다 2. 혼동하다

His explanation **confused** everyone.
그의 설명은 모든 사람들을 **혼란스럽게 만들었다**.

Be careful not to **confuse** Peter with his brother.
Peter와 그의 형을 **혼동하지** 않도록 주의해라.

⊕ **confuse** *A* with *B* A와 B를 혼동하다

confused
형 혼란스러워 하는

---

09 **visible**
[vízəbl]

형 눈에 보이는

The building is clearly **visible** from a distance.
그 건물은 멀리서도 또렷하게 **보인다**.

반의어 invisible
보이지 않는

시험 POINT 반의어의 형태

반의어를 만드는 접사가 〈보기〉와 다른 것을 고르시오.

보기 **in** + visible → invisible

ⓐ pleasant ⓑ appropriate ⓒ formal

ⓐ unpleasant
ⓑ inappropriate
ⓒ informal
정답 ⓐ

---

10 **evident**
[évidənt]

형 분명한, 명백한

It was **evident** that his plan would fail.
그의 계획이 실패할 것은 **분명했다**.

유의어 obvious

---

11 **available**
[əvéiləbl]

형 1. 이용할 수 있는 2. 시간이 있는

Do you have a room **available** tonight?
오늘 밤에 **이용할 수 있는** 방이 있나요?

Are you **available** tomorrow? 내일 **시간 있으세요**?

---

12 **matter**
[mǽtər]

명 문제, 일 동 중요하다

It's a personal **matter**. 그것은 개인적인 **문제**이다.

It doesn't **matter** to me how much it costs.
그것이 얼마인지는 나에게 **중요하지** 않다.

⊕ to make **matters** worse 설상가상으로

상대방이 걱정스러워 보일 때는 What's the matter?(무슨 일이야? 괜찮아?)라고 물어볼 수 있어요.

---

13 **mess**
[mes]

명 엉망진창, 지저분한 상태

My brother's room is always a **mess**.
내 남동생의 방은 항상 **엉망**이다.

⊕ in a **mess** 어질러져 있는, 엉망인

messy 형 지저분한

어휘력 UPGRADE

14 **comfort**
[kʌ́mfərt]

명 1. 편안함 2. 위로, 위안 (마음을 편하게 함)

These clothes are designed for **comfort**.
이 옷들은 **편안함**을 고려하여 디자인되었다.

The food was a great **comfort** to me.
그 음식은 나에게 큰 **위안**이 되었다.

comfortable
형 편안한

---

15 **danger**
[déindʒər]

명 위험

Firefighters face **danger** all the time.
소방관들은 항상 **위험**에 맞선다.

⊕ in **danger** 위험에 처한

dangerous
형 위험한

---

16 **capture**
[kǽptʃər]

동 1. 잡다, 포획하다 (짐승이나 물고기를 잡다) 2. (관심을) 사로잡다

The raccoons were **captured** illegally.
그 너구리들은 불법적으로 **포획되었다**.

The show **captured** the attention of the world.
그 공연은 세계의 관심을 **사로잡았다**.

---

17 **faint**
[feint]

형 희미한, 약한 동 기절하다

He saw a **faint** light in the distance.
그는 멀리 있는 **희미한** 빛을 보았다.

She almost **fainted** with shock.
그녀는 충격으로 거의 **기절할** 뻔했다.

---

18 **emergency**
[imə́ːrdʒənsi]

명 비상 (상황)

Flight attendants need to know what to do in an **emergency**.
승무원들은 **비상시**에 무엇을 해야 하는지 알아야 한다.

⊕ an **emergency** room 응급실(=ER)

It's an emergency.는 '긴급 상황입니다.', '매우 급해요.'라는 의미예요.

---

19 **state**
[steit]

명 1. 상태 2. 주 (미국, 호주 등의 행정 구역) 동 진술하다, 말하다

The old house was in a terrible **state**.
그 오래된 집은 끔찍한 **상태**였다.

The US is composed of 50 **states**.
미국은 50개의 **주**로 이루어져 있다.

⊕ **state** an intention 의사를 밝히다

어휘력 UPGRADE

20 **isolate**
[áisəleit]

동 고립시키다, 격리하다 (다른 것과 통하지 않게 분리하다)

The hospital immediately **isolated** the patient.
그 병원은 즉시 그 환자를 **격리했다**.

isolation 명 고립

---

21 **urgent**
[ə́ːrdʒənt]

형 긴급한, 시급한

He got an **urgent** call from his pregnant wife.
그는 임신한 아내로부터 **긴급한** 전화를 받았다.

urgently
부 긴급하게

---

22 **tough**
[tʌf]

형 1. 힘든, 어려운 2. 강인한

My sister and I had a **tough** childhood.
내 여동생과 나는 **힘든** 어린 시절을 보냈다.

We know she is a **tough** woman.
우리는 그녀가 **강인한** 여성이라는 것을 안다.

시험 POINT tough의 의미

밑줄 친 단어의 의미로 알맞은 것을 고르시오.

It was a tough race, but we finished it.

ⓐ strong ⓑ strict ⓒ difficult

그것은 어려운 경주였지만 우리는 완주했다.
ⓐ 강한 ⓑ 엄격한

정답 ⓒ

---

23 **obstacle**
[ɑ́bstəkl]

명 장애(물)

Bad weather can be a major **obstacle** to climbing the mountain.
나쁜 날씨는 그 산을 오르는 데 주요한 **장애물**이 될 수 있다.

+ overcome an **obstacle** 장애를 극복하다

교과서 필수 암기 숙어

24 **as[so] long as**

~하는 한, ~이기만 하면

We'll go camping **as long as** the weather is good.
날씨**만 좋다면** 우리는 캠핑을 갈 것이다.

---

25 **as a matter of fact**

사실은

As a matter of fact, I had a similar experience.
사실은 나도 비슷한 경험이 있어.

Daily Test

STEP 1 빈틈없이 확인하기

[01-25] 영어는 우리말로, 우리말은 영어로 쓰시오.

01 pleasant

02 appropriate

03 complicated

04 circumstance

05 confuse

06 evident

07 available

08 mess

09 faint

10 state

11 tough

12 obstacle

13 평화로운

14 불가능한

15 격식을 차린, 공식적인

16 눈에 보이는

17 문제, 일; 중요하다

18 편안함, 위로

19 위험

20 잡다, 포획하다

21 비상 (상황)

22 고립시키다, 격리하다

23 긴급한, 시급한

24 as a matter of fact

25 ~하는 한, ~이기만 하면

정답 p.294

STEP 2 제대로 적용하기

A 주어진 단어를 이용하여 바꿔 쓰시오.

단어

01 pleasant → 반의어 ______________

02 complex → 유의어 ______________

03 visible → 반의어 ______________

04 obvious → 유의어 ______________

05 formal → 반의어 ______________

B 우리말 의미에 맞게 빈칸에 알맞은 말을 쓰시오.

구

01 불가능한 꿈 an ______________ dream

02 설상가상으로 to make ______________ worse

03 응급실 an ______________ room

04 긴급 전화 an ______________ call

05 장애를 극복하다 overcome an ______________

C 빈칸에 알맞은 말을 넣어 문장을 완성하시오.

문장

01 They are no longer in ______________. 그들은 더 이상 위험에 처해 있지 않다.

02 This is the only room ______________. 여기가 이용할 수 있는 유일한 방이다.

03 Be careful not to ______________ salt with sugar.
소금과 설탕을 혼동하지 않도록 주의해라.

04 You can go as ______________ ______________ you are back by midnight.
네가 자정까지 돌아오기만 하면 가도 돼.

05 As a ______________ ______________ ______________, I disagree with you.
사실은 나는 네 의견에 동의하지 않아.

내신 대비

어휘 Test

PART 5

01 반의어를 만드는 접사가 〈보기〉와 같은 것은? DAY 25 시험 POINT

보기 **in** + formal → informal

① visible ② possible ③ ordinary
④ fiction ⑤ pleasant

02 문맥상 빈칸에 들어갈 말로 알맞은 것은?

I am reading a ___________ of Mother Theresa. It is the story of her whole life.

① theme ② fiction ③ mystery
④ imagination ⑤ biography

03 다음 영영풀이에 해당하는 단어로 알맞은 것은?

to separate somebody or something from the other people or things

① imitate ② reveal ③ abandon
④ approach ⑤ isolate

04 빈칸에 들어갈 말이 바르게 짝지어진 것은?

- David can jump very ___________.
- The meeting was ___________ successful.

① well – high ② high – highly ③ highly – high
④ high – high ⑤ highly – highly

정답 p.295

05 밑줄 친 단어의 의미로 알맞은 것은?

It doesn't matter how old you are.

① to announce ② to describe ③ to be useful
④ to be important ⑤ to be different

06 다음 중 밑줄 친 부분이 어색한 것은? DAY 21, 22 시험 POINT

① We regard Einstein as a genius.
② I really appreciate for your help.
③ You need to pay attention to his words.
④ Many people in the country die from hunger.
⑤ I often confused Emma with her sister.

07 (A)와 (B)에서 알맞은 말을 각각 골라 쓰시오. DAY 22 시험 POINT

서술형

It is our (A) [costume / custom] to wear a traditional (B) [costume / custom] on New Year's Day.

(A) ______________ (B) ______________

08 우리말과 일치하도록 〈조건〉에 맞게 문장을 완성하시오.

서술형

나는 영어를 공부하는 것에 전념하기로 결심했다.

→ I decided to ________________________________ English.

조건 1. devote oneself to, study를 사용할 것
2. 필요시 단어를 알맞은 형태로 바꿀 것

PART 6

DAY 26 지역과 기후

DAY 27 자연과 환경

DAY 28 변화와 영향

DAY 29 위치와 공간

DAY 30 시간과 순서

DAY 26

지역과 기후

어휘력 UPGRADE

01 **region** [ríːdʒən]

명 **지역, 지방**

There will be a lot of rain in the central **region**.
중부 **지방**에 많은 비가 내릴 것이다.

regional
형 지역의, 지방의

---

02 **horizon** [həráizn]

명 **수평선, 지평선**

The sun is rising above the **horizon**.
태양이 **수평선** 위로 떠오르고 있다.

horizontal
형 수평(선)의, 가로의

---

03 **arctic** [áːrktik]

형 **북극의** 명 **북극 (지방)**

The **arctic** seawater is very cold.
북극의 바닷물은 매우 차갑다.

There is very little life in the **Arctic**.
북극 지방에는 생물이 매우 드물다.

반의어 antarctic
남극의

'북극 지방'을 나타낼 때는 the Arctic으로 써요.

---

04 **polar** [póulər]

형 **극지의**

The **polar** regions surround the North and South Poles. **극**지방은 북극과 남극을 둘러싸고 있다.

⊕ a **polar** explorer 극지 탐험가

pole 명 (지구의) 극

---

05 **tropical** [trápikəl]

형 **열대 지방의, 열대의**

Palm trees grow in **tropical** regions.
야자나무는 **열대** 지방에서 자란다.

⊕ **tropical** fruit 열대 과일

---

06 **peak** [piːk]

명 **1. 최고점, 정점 2.** (산의) **정상**
형 **최상의, 정점의**

The storm will reach its **peak** tonight.
태풍은 오늘 밤에 **정점**에 이를 것이다.

Hotel prices rise during the **peak** season.
성수기에는 호텔 가격이 오른다.

⊕ a mountain **peak** 산의 정상, 산꼭대기

어휘력 UPGRADE

07 **rainforest**
[réinfɔ̀ːrist]

명 (열대) **우림** (열대 식물이 자라는 숲)

The Amazon River runs through the largest tropical **rainforest** in the world.
아마존 강은 세계에서 가장 큰 열대 **우림**을 거쳐 흐른다.

⊕ a tropical **rainforest** 열대 우림

---

08 **climate**
[kláimit]

명 **기후**

A cactus can grow in a very dry **climate**.
선인장은 매우 건조한 **기후**에서 자랄 수 있다.

⊕ **climate** change 기후 변화

---

09 **vary**
[vɛ́əri]

동 **다양하다, 다르다**

The weather in Peru **varies** from region to region.
페루의 날씨는 지역마다 **다르다.**

various 형 다양한
유의어 differ

---

10 **temperature**
[témpərətʃər]

명 **온도, 기온**

The average annual **temperature** is rising.
연평균 **기온**이 상승하고 있다.

⊕ body **temperature** 체온

---

11 **degree**
[digríː]

명 1. (온도·각도의 단위) **도** 2. **정도, 수준**

Today's highest temperature was 30 **degrees.**
오늘 최고 기온은 30**도**였다.

This task requires a high **degree** of accuracy.
이 업무는 높은 **수준**의 정확성을 필요로 한다.

---

12 **impact**
[ímpækt]

명 (강력한) **영향, 충격**

Weather can have a big **impact** on our lives.
날씨는 우리의 생활에 큰 **영향**을 미칠 수 있다.

네모 안에서 알맞은 것을 고르시오.

Her speech had a huge impact [to / on] me.
그녀의 연설은 나에게 큰 영향을 미쳤다.

'~에 대한 영향'은 impact on으로 쓴다.

정답 on

어휘력 UPGRADE

13 **forecast**
[fɔ́ːrkæ̀st]

명 예측, 예보 동 예측하다, 예보하다

The weather **forecast** said it would snow tonight. 일기 **예보**에서 오늘 밤에 눈이 올 것이라고 했다.

⊕ **forecast** the future 미래를 예측하다

유의어 predict 예측하다

---

14 **humid**
[hjúːmid]

형 습한, 습기가 많은

This city is very hot and **humid** during summer.
이 도시는 여름에 매우 덥고 **습하다**.

humidity
명 습도, 습기

---

15 **mild**
[maild]

형 1. (날씨가) 포근한 2. (정도가) 가벼운, 약한

We had a **mild** winter last year.
작년에는 **포근한** 겨울을 보냈다.

His symptoms were **mild.** 그의 증상은 **가벼웠다**.

mild coffee와 같이 '순한 맛'을 나타낼 때도 mild를 써요.

---

16 **shade**
[ʃeid]

명 그늘, 응달

I took a nap under the **shade** of a tree.
나는 나무 **그늘** 아래에서 낮잠을 잤다.

---

17 **freezing**
[fríːziŋ]

형 1. 매우 추운 2. 영하의, 얼기 시작하는

It's **freezing** in the house. 집안이 **매우 춥다**.

⊕ **freezing** temperatures 영하의 기온

freeze
동 얼다, 얼리다

---

18 **lower**
[lóuər]

동 내리다, 낮추다 형 아래쪽의, 하부의

She turned on the air conditioner to **lower** the room temperature.
그녀는 방의 온도를 **낮추기** 위해 에어컨을 켰다.

⊕ the **lower** lip 아랫입술

반의어
raise 올리다
upper 위쪽의

---

19 **factor**
[fǽktər]

명 (영향을 미치는) 요인, 요소

Greenhouse gases are the main **factor** in climate change. 온실 가스는 기후 변화의 주요 **요인**이다.

어휘력 UPGRADE

20 **affect** [əfékt]

동 영향을 미치다

Weather can **affect** your mood.
날씨는 당신의 기분에 **영향을 미칠** 수 있다.

---

21 **adapt** [ədǽpt]

동 적응하다

We **adapted** quickly to the new environment.
우리는 새로운 환경에 빠르게 **적응했다**.

⊕ **adapt** to ~에 적응하다

adaptation 명 적응

시험 POINT adapt vs. adopt

네모 안에서 알맞은 것을 고르시오.

We will [adapt / adopt] to the new way of life.
우리는 새로운 생활 방식에 적응할 것이다.

adapt: 적응하다
adopt: 채택[입양]하다

정답 adapt

---

22 **continuous** [kəntínjuəs]

형 계속되는, 지속적인

The flight was canceled due to **continuous** rain.
그 항공편은 **계속되는** 비로 인해 취소되었다.

continue 동 계속되다

---

23 **mostly** [móustli]

부 주로, 대부분

Sunday will be **mostly** sunny and mild.
일요일은 **대체로** 맑고 포근할 것이다.

교과서 필수 암기 숙어

24 **according to**

~에 따르면, ~에 따라

According to the weather forecast, we will have strong winds tonight. 일기 예보**에 따르면** 오늘 밤에 강한 바람이 불 것이다.

---

25 **bring about**

야기하다, 초래하다

Two days of heavy rain **brought about** the floods.
이틀 동안의 폭우가 홍수를 **야기했다**.

Daily Test

STEP 1 빈틈없이 확인하기

[01-25] 영어는 우리말로, 우리말은 영어로 쓰시오.

01 region

02 arctic

03 tropical

04 rainforest

05 vary

06 horizon

07 adapt

08 mild

09 lower

10 affect

11 continuous

12 mostly

13 극지의

14 (온도의) 도, 정도, 수준

15 기후

16 최고점, 정상; 정점의

17 온도, 기온

18 예측, 예보; 예보하다

19 그늘, 응달

20 매우 추운, 영하의

21 요인, 요소

22 영향, 충격

23 습한, 습기가 많은

24 bring about

25 ~에 따르면, ~에 따라

정답 p.295

STEP 2 제대로 적용하기

A 단어

주어진 단어를 의미에 맞게 바꿔 쓰시오.

01 vary → 다양한 ____________

02 humid → 습도, 습기 ____________

03 continue → 계속되는 ____________

04 adapt → 적응 ____________

B 구

우리말 의미에 맞게 빈칸에 알맞은 말을 쓰시오.

01 열대 과일 ____________ fruit

02 극지 탐험가 a ____________ explorer

03 산꼭대기 a mountain ____________

04 기후 변화 ____________ change

05 아랫입술 the ____________ lip

C 문장

빈칸에 알맞은 말을 넣어 문장을 완성하시오.

01 The ____________ went up to 33 degrees. 기온이 33도까지 올라갔다.

02 According to the weather ____________, it'll snow tomorrow.
일기 예보에 따르면 내일 눈이 올 것이다.

03 The ____________ weather will continue through this weekend.
매우 추운 날씨가 이번 주말 내내 계속될 것이다.

04 Television has an ____________ on our lives.
텔레비전은 우리의 삶에 영향을 미친다.

05 Our behavior can ____________ ____________ important changes.
우리의 행동이 중요한 변화를 야기할 수 있다.

DAY 27 자연과 환경

들으며 외우기

어휘력 UPGRADE

01 **natural** [nǽtʃərəl]

형 1. 자연의, 천연의 2. 당연한, 정상적인 3. 타고난

We should protect the **natural** environment.
우리는 **자연**환경을 보호해야 한다.

It's **natural** for us to be interested in our health.
우리가 건강에 관심을 갖는 것은 **당연하다**.

⊕ a **natural** talent 타고난 재능

nature 명 자연

시험 POINT natural의 의미

밑줄 친 부분의 의미로 알맞은 것을 고르시오.

Gray hair is a natural part of getting older.

ⓐ unique ⓑ normal ⓒ strange

흰머리는 나이 드는 것의 정상적인 부분이다.
ⓐ 독특한 ⓒ 이상한

정답 ⓑ

---

02 **disaster** [dizǽstər]

명 재난, 재해

More than 100 people died in the **disaster**.
그 **재해**로 100명 이상이 죽었다.

⊕ a natural **disaster** 자연재해

---

03 **earthquake** [ə́ːrθkweik]

명 지진

The **earthquake** hit the city at 3 a.m.
새벽 3시에 **지진**이 그 도시를 강타했다.

earth(땅)+quake(흔들리다)

---

04 **drought** [draut]

명 가뭄

Many parts of Africa are suffering from extreme **drought**.
아프리카의 많은 지역이 극심한 **가뭄**을 겪고 있다.

'홍수'는 flood라고 해요.

---

05 **volcano** [vɑlkéinou]

명 화산

Some scientists say that Mount Halla is still an active **volcano**.
일부 과학자들은 한라산이 여전히 활**화산**이라고 말한다.

⊕ an active **volcano** 활화산(지금도 화산활동을 하는 화산)

어휘력 UPGRADE

06 **erupt**
[irʌ́pt]

동 (화산·용암 등이) **분출하다**

Tons of ash **erupted** from the volcano.
수천 톤의 화산재가 그 화산에서 **분출했다**.

eruption
명 (화산의) 폭발, 분출

---

07 **tide**
[taid]

밀물과 썰물 / 바닷물의 흐름

명 **조수, 조류**

The **tides** are caused by the pull of the moon and sun. **조수**는 달과 태양의 당기는 힘에 의해 발생한다.

⊕ high **tide** 밀물　low **tide** 썰물

---

08 **stream**
[striːm]

명 **1. 시내, 개울　2. 흐름, 줄기**

A **stream** runs through the field.
개울이 들판을 가로질러 흐른다.

⊕ a **stream** of water 물줄기

---

09 **species**
[spíːʃiːz]

생물 분류의 단위

명 (생물의) **종**

The scientist found a new **species** of butterfly.
그 과학자는 새로운 **종**의 나비를 발견했다.

species는 단수형과 복수형의 형태가 같아요.

---

10 **evolve**
[ivɑ́ːlv]

동 **진화하다**

It is said that birds **evolved** from dinosaurs.
새는 공룡에서 **진화했다고** 한다.

⊕ **evolve** from ~에서 진화하다

evolution 명 진화

---

11 **extinct**
[ikstíŋkt]

생물의 한 종류가 완전히 없어진

형 **멸종된**

Dinosaurs became **extinct** millions of years ago.
공룡은 수백만 년 전에 **멸종되었다**.

extinction
명 멸종, 소멸

---

12 **fossil**
[fɑ́ːsl]

명 **화석**

They found a **fossil** of dinosaur footprints.
그들은 공룡 발자국의 **화석**을 발견했다.

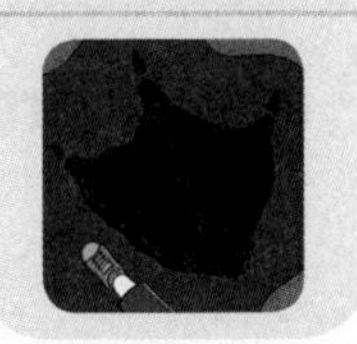

어휘력 UPGRADE

13 **environmental** [inváirənméntl]

형 환경의

We should be more concerned about **environmental** problems.
우리는 **환경** 문제에 대해 더 관심을 가져야 한다.

environment
명 환경

14 **oxygen** [áksidʒən]

명 산소

Plants produce **oxygen** during the day.
식물은 낮 동안 **산소**를 생산한다.

15 **pollute** [pəlúːt]

동 오염시키다

Waste from the factory **polluted** the river.
그 공장에서 나온 폐기물이 그 강을 **오염시켰다**.

pollution
명 오염, 공해

16 **fuel** [fjúːəl]

명 연료

We need to reduce the use of fossil **fuels**.
우리는 화석 **연료**의 사용을 줄여야 한다.

⊕ a fossil **fuel** 화석 연료

석탄, 석유, 천연가스와 같이 지하 매장 자원을 이용하는 연료를 fossil fuel(화석 연료)이라고 해요.

17 **coal** [koul]

명 석탄

China is rich in **coal**. 중국은 **석탄**이 풍부하다.

18 **resource** [ríːsɔːrs]

명 자원

The world is consuming its natural **resources** rapidly. 세계는 천연**자원**을 빠르게 소비하고 있다.

⊕ energy **resource** 에너지 자원

19 **endangered** [indéindʒərd]

형 멸종 위기에 처한

The sea turtle is an **endangered** species.
바다거북은 **멸종 위기** 종이다.

endanger
동 위험에 빠뜨리다

어휘력 UPGRADE

20 **preserve**
[prizə́:rv]

동 **보존하다, 지키다**

We should **preserve** endangered species.
우리는 멸종 위기에 처한 종을 **보존해야** 한다.

⊕ **preserve** the peace 평화를 지키다

preservation
명 보존, 보호

---

21 **garbage**
[gɑ́:rbidʒ]

명 **쓰레기**

We picked up **garbage** in the park.
우리는 공원에서 **쓰레기**를 주웠다.

garage(차고)와 헷갈리지 않도록 주의하세요.

---

22 **reuse**
[ri:jú:z]

동 **재사용하다**

They encourage shoppers to **reuse** bags.
그들은 쇼핑객들에게 봉투를 **재사용하기**를 권고한다.

reusable
형 재사용이 가능한

re(다시)+use(사용하다)

---

23 **acid**
[ǽsid]

형 **산성의**

Acid rain can damage the soil and water.
산성비는 토양과 물에 해를 입힐 수 있다.

⊕ **acid** rain 산성비

교과서 필수 암기 숙어

24 **in danger of**

~할 위험이 있는, ~의 위기에 처한

Golden bats are **in danger of** extinction.
황금박쥐는 멸종 **위기에 처해** 있다.

---

25 **run out of**

(물건·돈 등을) **다 써버리다, 바닥내다**

We're **running out of** fuel. We must stop at a gas station.
연료가 **바닥나고** 있어. 주유소에 들러야 해.

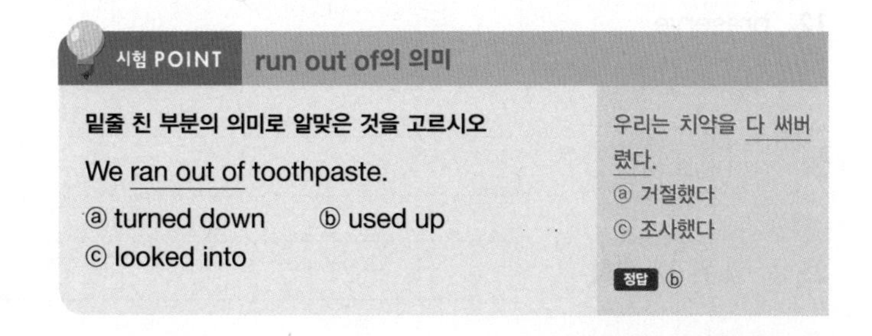

시험 POINT **run out of의 의미**

밑줄 친 부분의 의미로 알맞은 것을 고르시오

We ran out of toothpaste.

ⓐ turned down ⓑ used up
ⓒ looked into

우리는 치약을 다 써버렸다.
ⓐ 거절했다
ⓒ 조사했다

정답 ⓑ

Daily Test

STEP 1 빈틈없이 확인하기

[01-25] 영어는 우리말로, 우리말은 영어로 쓰시오.

01 disaster

02 earthquake

03 natural

04 tide

05 species

06 fossil

07 oxygen

08 fuel

09 coal

10 garbage

11 acid

12 preserve

13 가뭄

14 화산

15 (화산이) 분출하다

16 시내, 개울, 흐름

17 진화하다

18 환경의

19 오염시키다

20 자원

21 재사용하다

22 멸종 위기에 처한

23 멸종된

24 run out of

25 ~의 위기에 처한

정답 p.295

STEP 2 제대로 적용하기

A 단어

주어진 단어를 의미에 맞게 바꿔 쓰시오.

01 extinct → 멸종, 소멸 ______________

02 environment → 환경의 ______________

03 pollute → 오염, 공해 ______________

04 reuse → 재사용이 가능한 ______________

05 preserve → 보존, 보호 ______________

B 구

우리말 의미에 맞게 빈칸에 알맞은 말을 쓰시오.

01 자연재해 a natural ______________

02 활화산 an active ______________

03 화석 연료 a ______________ fuel

04 에너지 자원 energy ______________

05 산성비 ______________ rain

C 문장

보기에서 알맞은 말을 골라 문장을 완성하시오.

보기	earthquake	run	evolve	species	endangered

01 Humans did not ______________ from chimpanzees.

02 The koala is one of Australia's ______________ animals.

03 The city was destroyed by an ______________.

04 There are about 30,000 ______________ of fish in the world.

05 The country will ______________ out of oil in the next 30 years.

DAY 28 변화와 영향

들으며 외우기

어휘력 UPGRADE

01 **transform** [trænsfɔ́rm]

동 바꾸다, 변형시키다

The internet **transformed** our lives.
인터넷은 우리의 생활을 **바꾸었다**.

transformation
명 변화, 변신

---

02 **notice** [nóutis]

동 알아차리다 명 1. 주목, 신경 씀 2. 통지, 안내문

Nobody **noticed** his mistake.
아무도 그의 실수를 **알아차리지** 못했다.

Don't take **notice** of the bad reviews.
나쁜 평에 **신경**쓰지 마라.

My order was canceled without **notice**.
나의 주문이 **통보** 없이 취소되었다.

⊕ take **notice** of ~을 주목하다, ~에 신경쓰다

---

03 **influence** [ínfluəns]

명 영향(력) 동 영향을 주다, 영향을 미치다

His parents had a major **influence** in his life.
그의 부모님은 그의 인생에 중대한 **영향**을 미쳤다.

I was greatly **influenced** by his movies.
나는 그의 영화들에 크게 **영향을 받았다**.

소셜 미디어에서 많은 사람들에게 영향을 미치는 사람을 '인플루언서(influencer)'라고 해요.

---

04 **depend** [dipénd]

동 1. 달려 있다 2. 의지[의존]하다

Everything **depends** on your decision.
모든 것은 너의 결정에 **달려 있다**.

I don't want to **depend** on anyone.
나는 누구에게도 **의존하고** 싶지 않다.

dependent
형 의존하는

---

05 **dramatic** [drəmǽtik]

형 (변화가) 극적인, 급격한

We noticed a **dramatic** change in his behavior.
우리는 그의 행동에서 **급격한** 변화를 알아차렸다.

---

06 **maintain** [meintéin]

동 유지하다, 지속하다

It is difficult to **maintain** a healthy weight.
건강한 체중을 **유지하는** 것은 어렵다.

어휘력 UPGRADE

07 **action** [ǽkʃən]

명 1. 조치 2. 동작, 행위

We must take **action** to prevent school violence. 학교 폭력을 예방하기 위한 **조치**를 취해야 한다.

Be responsible for your **actions.**
너의 **행동**에 대한 책임을 져라.

act 동 행동하다

08 **effect** [ifékt]

명 **영향, 효과, 결과**

The medicine had no **effect** on my condition.
그 약은 내 상태에 전혀 **효과**가 없었다.

⊕ cause and **effect** 원인과 결과

effective
형 효과적인

시험 POINT effect vs. affect

네모 안에서 알맞은 것을 고르시오.

Computers have had a significant [effect / affect] on our lives.
컴퓨터는 우리의 삶에 지대한 영향을 미쳤다.

effect: 영향, 결과
affect: 영향을 미치다

정답 effect

09 **attempt** [ətémpt]

명 **시도, 도전** 동 **시도하다**

I passed the driving test on the first **attempt.**
나는 첫 번째 **시도**에서 운전면허 시험을 통과했다.

He **attempted** to lose weight.
그는 살을 빼려고 **시도했다**.

10 **entire** [intáiər]

형 **전체의, 전부의**

We spent the **entire** day at the beach.
우리는 하루 **종일** 해변에서 시간을 보냈다.

⊕ the **entire** country 전국

유의어 whole

11 **remove** [rimúːv]

동 **제거하다, 없애다**

What's the best way to **remove** coffee stains?
커피 얼룩을 **없애는** 가장 좋은 방법은 무엇인가요?

12 **remain** [riméin]

동 **1. 계속[여전히] ~이다 2. 남다, 남아 있다**

The girl **remained** silent. 그 소녀는 **계속** 침묵을 **지켰다**.

Nothing **remained** after the war.
전쟁 후에 아무것도 **남아 있지** 않았다.

어휘력 UPGRADE

13 **adjust**
[ədʒʌ́st]

동 1. 조정[조절]하다 2. 적응하다

He **adjusted** the volume of the TV.
그는 TV의 볼륨을 **조절했다**.

You will **adjust** to your new school soon.
너는 곧 새 학교에 **적응할** 것이다.

⊕ **adjust** to -ing ~(하는 것)에 적응하다

adjustment
명 조정, 적응

유의어 adapt
적응하다

시험 POINT adjust to의 용법

네모 안에서 알맞은 것을 고르시오.

She adjusted to [live / living] alone.
그녀는 혼자 사는 것에 적응했다.

'~(하는 것)에 적응하다'는 「adjust to+-ing」로 쓴다.

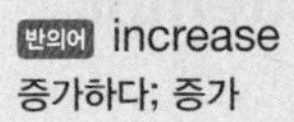

정답 living

14 **limit**
[límit]

동 제한하다, 한정하다 명 제한, 한도

Try to **limit** the amount of salt in your diet.
너의 식단에서 소금의 양을 **제한하려고** 노력해라.

⊕ the speed **limit** 속도 제한

15 **decrease**
[dikríːs]

동 감소하다, 줄다 명 감소, 하락

The number of students is **decreasing**.
학생 수가 **감소하고** 있다.

⊕ a **decrease** in housing prices 주택 가격의 하락

반의어 increase
증가하다; 증가

16 **badly**
[bǽdli]

부 1. 나쁘게, 좋지 않게 2. 심하게, 몹시

I did **badly** on the final exams.
나는 기말 시험을 **형편없이** 봤다.

He was **badly** hurt. 그는 **심하게** 다쳤다.

반의어 well 잘, 좋게

17 **loss**
[lɔːs]

명 상실, 분실, 손실

He suffered memory **loss** after the accident.
그는 그 사고 이후에 기억 **상실**을 겪었다.

⊕ **loss** of confidence 자신감의 상실

lose 동 잃어버리다, 분실하다

18 **exclude**
[iksklúːd]

동 제외하다, 배제하다

Don't **exclude** any group members from the project. 그 프로젝트에서 어떤 팀원도 **배제시키지** 마라.

반의어 include
포함하다

19 **expose** [ikspóuz]

동 1. 노출시키다 2. 폭로하다, 드러내다

Teenagers are often **exposed** to violence on the internet. 십 대들은 인터넷 상에서 종종 폭력에 **노출된다**.

⊕ **expose** the truth 진실을 드러내다

어휘력 UPGRADE: exposure 명 노출, 폭로 / 유의어 reveal 폭로하다

---

20 **arise** [əráiz] arose-arisen

동 생기다, 발생하다

Many conflicts **arise** due to a misunderstanding. 많은 갈등이 오해 때문에 **생긴다**.

유의어 occur

---

21 **resist** [rizíst]

동 1. 저항하다, 반대하다 2. 참다, 견디다

Some people tend to **resist** change. 어떤 사람들은 변화에 **저항하는** 경향이 있다.

He couldn't **resist** telling her secret. 그는 그녀의 비밀을 말하지 않고는 **참을** 수 없었다.

resistance 명 저항, 반대

---

22 **ruin** [rú:in]

동 망치다, 엉망으로 만들다 명 붕괴, 폐허

The bad weather **ruined** our trip. 나쁜 날씨가 우리의 여행을 **망쳤다**.

The castle is now a **ruin.** 그 성은 이제 **폐허**이다.

---

23 **disappear** [dìsəpíər]

동 사라지다, 모습을 감추다

The moon **disappeared** behind a cloud. 달이 구름 뒤로 **사라졌다**.

반의어 appear 나타나다

교과서 필수 암기 숙어

24 **in vain**

허사가 된, 헛되이 (쓸데없는 노력이 된)

My efforts to persuade her were **in vain.** 그녀를 설득하려는 나의 노력은 **허사였다**.

---

25 **all of a sudden**

갑자기, 느닷없이

All of a sudden, the temperature dropped sharply. **갑자기** 기온이 급격하게 떨어졌다.

Daily Test

STEP 1 빈틈없이 확인하기

[01-25] 영어는 우리말로, 우리말은 영어로 쓰시오.

01 transform

02 notice

03 depend

04 effect

05 maintain

06 action

07 remain

08 entire

09 badly

10 remove

11 arise

12 expose

13 영향; 영향을 미치다

14 극적인, 급격한

15 시도, 도전; 시도하다

16 감소하다; 감소, 하락

17 망치다; 폐허

18 조절하다, 적응하다

19 제한하다; 제한, 한도

20 제외하다, 배제하다

21 상실, 분실, 손실

22 사라지다

23 저항하다, 참다

24 all of a sudden

25 허사가 된, 헛되이

정답 p.296

STEP 2 제대로 적용하기

A 주어진 단어를 지시대로 바꿔 쓰시오.

단어

01 decrease → 반의어 ____________

02 entire → 유의어 ____________

03 appear → 반의어 ____________

04 exclude → 반의어 ____________

05 occur → 유의어 ____________

B 우리말 의미에 맞게 빈칸에 알맞은 말을 쓰시오.

구

01 원인과 결과 cause and ____________

02 속도 제한 the speed ____________

03 자신감의 상실 ____________ of confidence

04 진실을 드러내다 ____________ the truth

C 빈칸에 알맞은 말을 넣어 문장을 완성하시오.

문장

01 We must take ____________ as soon as possible.
우리는 가능한 한 빨리 조치를 취해야 한다.

02 Plants ____________ on sunlight and water.
식물은 햇빛과 물에 의존한다.

03 We have to ____________ to the new environment.
우리는 새로운 환경에 적응해야 한다.

04 Could you ____________ the stain on this shirt?
셔츠에 있는 얼룩을 제거해 주시겠어요?

05 The lights in my house went off all of a ____________.
갑자기 우리 집의 불이 나갔다.

DAY
29 위치와 공간

어휘력 UPGRADE

01 **locate**
[lóukeit]

동 **1. 위치를 알아내다 2.** (특정 위치에) **두다**

How can I **locate** my lost phone?
어떻게 분실한 핸드폰의 **위치를 알아낼** 수 있나요?

The factory is **located** in China. 그 공장은 중국에 **있다**.

⊕ be **located** in ~에 (위치해) 있다

location
명 장소, 위치

시험 POINT locate vs. be located

네모 안에서 알맞은 것을 고르시오.

The Eiffel Tower [locates / is located] in Paris.
에펠탑은 파리에 있다.

'~에 (위치해) 있다'는 be located in으로 쓴다.

정답 is located

---

02 **position**
[pəzíʃən]

명 **1. 위치 2. 입장, 처지 3. 자세**

The **position** of the sun changes during the day.
태양의 **위치**는 낮 동안 바뀐다.

I'm in a difficult **position.** 나는 곤란한 **입장**에 처해 있다.

⊕ a standing **position** 서 있는 자세

---

03 **broad**
[brɔːd]

형 (폭이) **넓은**

He was driving along a **broad** avenue.
그는 **넓은** 길을 따라 운전하고 있었다.

반의어 narrow 좁은

---

04 **distant**
[dístənt]

형 **먼, 멀리 떨어진**

Those stars are extremely **distant** from the earth.
저 별들은 지구에서 아주 **멀리 떨어져** 있다.

⊕ in the **distant** future 먼 미래에

distance 명 거리

---

05 **compass**
[kʌ́mpəs]

명 **나침반**

You can use a **compass** to find your way.
길을 찾기 위해 **나침반**을 이용할 수 있다.

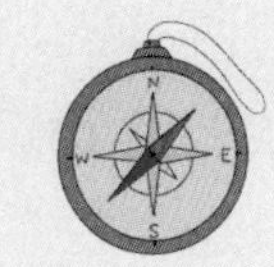

어휘력 UPGRADE

06 **opposite** [ápəzit]

형 1. 맞은편의, 마주 보고 있는 2. 정반대의
전 ~의 맞은편[건너편]에

They live on the **opposite** side of the street.
그들은 그 길의 **맞은편**에 살고 있다.

I sat **opposite** him on the train.
나는 기차에서 **그의 맞은편에** 앉았다.

⊕ in the **opposite** direction 반대 방향으로

opposition 명 반대

---

07 **backward(s)** [bǽkwərd(z)]

부 1. 뒤로, 뒤쪽으로 2. 거꾸로, 반대로

I'm able to skate **backward.**
나는 스케이트를 **뒤로** 탈 수 있다.

Count **backward** from 10. 10부터 **거꾸로** 세라.

-ward/-wards는 단어 뒤에 붙어서 '~방향으로'의 의미를 나타내요.

---

08 **forward(s)** [fɔ́ːrwərd(z)]

부 앞으로, 앞쪽으로

She took a step **forward.**
그녀는 **앞으로** 한걸음 나아갔다.

반의어 backward(s) 뒤쪽으로

---

09 **upward(s)** [ʌ́pwərd(z)]

부 위로, 위쪽으로

Plants tend to grow **upward.**
식물들은 **위쪽으로** 자라는 경향이 있다.

반의어 downward(s) 아래쪽으로

---

10 **ahead** [əhéd]

부 앞으로, 앞서서

Let Jack go **ahead.** He knows the way.
Jack이 **앞서** 가게 해. 그가 길을 알아.

반의어 behind 뒤에

---

11 **inner** [ínər]

형 1. 안(쪽)의, 내부의 2. 내면의, 정신적인

The **inner** part of the earth is the core.
지구의 **안쪽** 부분은 핵이다.

⊕ **inner** beauty 내면의 아름다움

반의어 outer 외부의

---

12 **upper** [ʌ́pər]

형 위(쪽)의, 상부의

There is a crack in the **upper** part of the vase.
꽃병의 **윗**부분에 금이 가 있다.

반의어 lower 아래의

어휘력 UPGRADE

13 **length** [leŋkθ]

명 (시간·거리상의) **길이**

The **length** of the table is six meters.
그 탁자의 **길이**는 6미터이다.

long 형 긴, 오래

---

14 **depth** [depθ]

명 **깊이**

What's the **depth** of this pool?
이 수영장의 **깊이**가 얼마나 되나요?

deep 형 깊은

---

15 **surface** [sə́ːrfis]

명 **표면, 지면**

Be careful when driving on icy **surfaces**.
얼어 있는 **지면** 위로 운전할 때는 조심해.

⊕ the earth's **surface** 지구의 표면

---

16 **underground** [ʌ̀ndərgraund]

형 **지하의, 지하에 있는** 부 **지하에, 땅속에**

He parked his car in an **underground** garage.
그는 **지하** 차고에 주차했다.

Several workers were trapped **underground**.
몇몇 일꾼들이 **지하에** 갇혔다.

미국에서는 '지하철'을 subway라 하고 영국에서는 the Underground 라고 해요.

---

17 **nearby** [níərbai]

형 **인근의, 근처의** 부 **근처에**

I took her to a **nearby** hospital.
나는 그녀를 **인근** 병원으로 데려갔다.

Do you live **nearby**? **근처에** 사나요?

---

18 **surround** [səráund]

동 **둘러싸다, 에워싸다**

Tall trees **surround** the house.
키 큰 나무들이 그 집을 **둘러싸고 있다**.

⊕ be **surrounded** by[with] ~에 둘러싸이다

surrounding
형 인근의, 주위의

---

19 **steep** [stiːp]

형 **1. 가파른, 비탈진 2. 급격한**

The man climbed a **steep** hill by himself.
그 남자는 혼자 **가파른** 언덕을 올라갔다.

⊕ a **steep** increase 급격한 증가

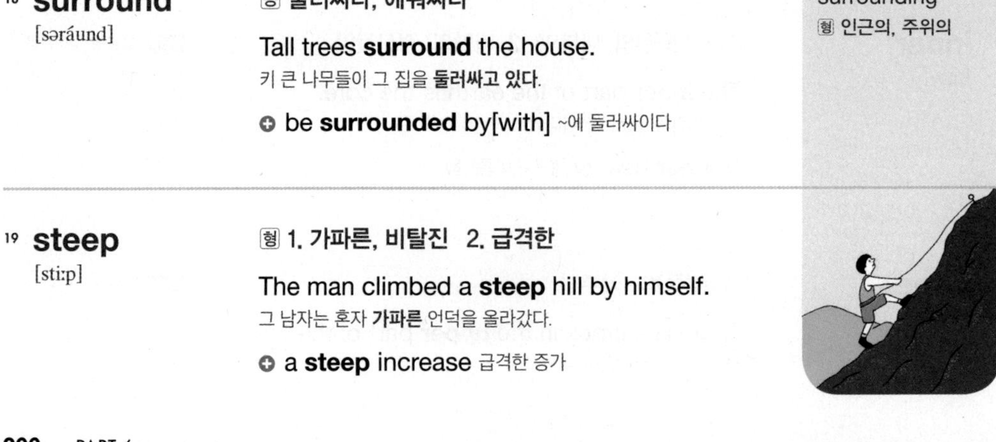

어휘력 UPGRADE

20 **separate**
형용사 [sépərət]
동사 [sépəreit]

형 **분리된, 별개의** 동 **분리하다, 나누다**

The dormitory is in a **separate** building.
기숙사는 **별개의** 건물에 있다.

The two cities are **separated** by the river.
그 두 도시는 그 강으로 **나뉘어 진다**.

separation
명 분리, 구분

형용사일 때와 동사일 때의 발음이 다르니 주의하세요.

---

21 **occupy**
[ákjupai]

동 (공간·시간을) **차지하다**

The sofa **occupies** most of the living room.
소파가 거실의 대부분을 **차지한다**.

---

22 **spread**
[spred]
spread-spread

동 **1. 펼치다, 펴다 2. 퍼지다, 확산되다**

She **spread** the cloth on the table.
그녀는 천을 탁자 위에 **펼쳤다**.

The forest fire quickly **spread**. 산불이 빠르게 **번졌다**.

---

23 **row**
[rou]

명 **줄, 열**

The seats are arranged in three **rows**.
좌석이 세 **줄**로 배열되어 있다.

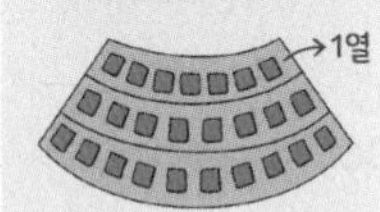

시험 POINT row vs. raw

네모 안에서 알맞은 것을 고르시오.

We sat in the front [raw / row].
우리는 앞줄에 앉았다.

raw: 날것의
row: 줄, 열

정답 row

교과서 필수 암기 숙어

24 **run into**

1. 우연히 만나다 2. 충돌하다

I **ran into** him in the park. 나는 공원에서 그를 **우연히 마주쳤다**.

The bus **ran into** the back of a car. 버스가 차 뒤를 **들이받았다**.

---

25 **back and forth**

앞뒤로, 왔다갔다

The ship is sailing **back and forth** between the islands.
그 배는 그 섬들 사이를 **왔다갔다 하며** 운항하고 있다.

Daily Test

STEP 1 빈틈없이 확인하기

[01-25] 영어는 우리말로, 우리말은 영어로 쓰시오.

01	locate	13	위치, 입장, 자세
02	inner	14	맞은편의, 정반대의
03	upper	15	뒤쪽으로, 거꾸로
04	broad	16	위로, 위쪽으로
05	forward(s)	17	먼, 멀리 떨어진
06	ahead	18	나침반
07	occupy	19	깊이
08	underground	20	표면, 지면
09	nearby	21	둘러싸다, 에워싸다
10	steep	22	분리된; 분리하다
11	spread	23	길이
12	row		

24 run into

25 앞뒤로, 왔다갔다

정답 p.296

STEP 2 제대로 적용하기

A 단어

주어진 단어를 지시대로 바꿔 쓰시오.

01 broad → 반의어 ______________

02 forward → 반의어 ______________

03 inner → 반의어 ______________

04 upper → 반의어 ______________

05 ahead → 반의어 ______________

B 구

우리말 의미에 맞게 빈칸에 알맞은 말을 쓰시오.

01 서 있는 자세 a standing ______________

02 먼 미래에 in the ______________ future

03 반대 방향으로 in the ______________ direction

04 급격한 증가 a ______________ increase

05 지구의 표면 the earth's ______________

C 문장

빈칸에 알맞은 말을 넣어 문장을 완성하시오.

01 The lake is ______________ with trees. 그 호수는 나무에 둘러싸여 있다.

02 Finland is ______________ in the northern part of Europe.
핀란드는 유럽 북부에 위치해 있다.

03 My grandmother lives in a ______________ town.
우리 할머니는 인근의 마을에 살고 계신다.

04 You might ______________ ______________ your favorite celebrity in this city. 이 도시에서는 네가 좋아하는 연예인을 우연히 마주칠 수도 있다.

DAY

30 시간과 순서

어휘력 UPGRADE

01 **modern**
[mάːdərn]

형 현대의, 근대의

Social media is a major part of **modern** life.
소셜 미디어는 **현대** 생활에서 주요한 부분이다.

---

02 **current**
[kə́ːrənt]

형 현재의, 지금의 명 (물·공기의) 흐름

Our **current** situation is not good.
우리의 **현재** 상황은 좋지 않다.

⊕ ocean **currents** 해류

currently
부 현재는, 지금은

---

03 **decade**
[dékeid]

명 10년

He went to Rome and lived there for a **decade**.
그는 로마에 가서 **10년** 동안 그곳에서 살았다.

⊕ for **decades** 수십 년간

---

04 **century**
[séntʃəri]

명 세기, 100년

Science made many advances in the 20th **century**. 과학은 20**세기**에 많은 진보를 이루었다.

⊕ in the early[late] 18th **century** 18세기 초[말]에

---

05 **previous**
[príːviəs]

형 이전의, 앞선

Do you have any **previous** experience as a volunteer? 자원봉사자로서 **이전의** 경험이 있나요?

⊕ the **previous** day[year] 전날[전년]

previously
부 이전에, 미리

---

06 **nowadays**
[náuədeiz]

부 요즘에는, 오늘날에는

Nowadays most people shop online.
요즘에는 대부분의 사람들이 온라인으로 쇼핑한다.

어휘력 UPGRADE

07 **recent**
[ríːsnt]

형 최근의, 근래의

His **recent** film was a big success.
그의 **최신** 영화는 대성공이었다.

⊕ in **recent** years 최근 몇 년간

recently 부 최근에

---

08 **brief**
[briːf]

형 1. 잠시의, 단시간의 2. 간략한, 간단한

She worked at a bank for a **brief** period.
그녀는 **짧은** 기간 동안 은행에서 일했다.

He began the speech with a **brief** introduction.
그는 **간략한** 소개로 연설을 시작했다.

회의나 사건 내용 등에 대해 요점을 간략히 보고하는 것을 '브리핑(briefing)' 한다고 해요.

---

09 **delay**
[diléi]

명 지연, 지체 동 미루다, 지연시키다

We're sorry for the **delay** in your order.
귀하의 주문이 **지연**되어 죄송합니다.

My flight was **delayed.** 내 항공편이 **지연되었다**.

---

10 **random**
[rǽndəm]

형 무작위의, 임의의

Pick a **random** number from one to ten.
1에서 10까지 중 **무작위의** 숫자를 고르시오.

---

11 **following**
[fálouiŋ]

형 다음의, 다음에 나오는

We met again the **following** day.
우리는 그 **다음** 날에 다시 만났다.

⊕ the **following** example 다음에 나오는 예시

follow
동 뒤따르다, 따라가다

---

12 **rarely**
[rέərli]

부 드물게, 좀처럼 ~하지 않는

It **rarely** snows in my town.
우리 마을에는 **좀처럼** 눈이 오지 **않는다**.

rare 형 드문, 희귀한

시험 POINT rarely의 쓰임

우리말을 영어로 바르게 옮긴 것을 고르시오.

그녀는 자신의 가족에 대해 좀처럼 말하지 않는다.

ⓐ She rarely talks about her family.
ⓑ She doesn't rarely talk about her family.

rarely에 부정의 의미가 포함되어 있으므로 not을 쓰지 않는다.

정답 ⓐ

어휘력 UPGRADE

13 **permanent**
[pə́ːrmənənt]

형 **영구적인, 영속적인** (오랫동안 변하지 않는)

Nowadays it's difficult to find a **permanent** job.
요즘에는 **영구적인** 직업을 찾기 어렵다.

반의어 temporary 임시의

---

14 **extend**
[iksténd]

동 1. (기간을) **연장하다** 2. (범위를) **넓히다, 늘리다**

He agreed to **extend** the deadline.
그는 마감 기한을 **연장하는** 것에 동의했다.

+ **extend** a road 길을 넓히다

extension 명 연장, 확대

---

15 **postpone**
[pouspóun]

동 **연기하다, 미루다**

We had to **postpone** our vacation because of the typhoon. 우리는 태풍 때문에 휴가를 **미뤄야** 했다.

유의어 put off

---

16 **frequent**
[fríːkwənt]

형 **빈번한, 잦은**

Floods are becoming more **frequent**.
홍수가 더 **빈번해지고** 있다.

frequently 부 자주, 흔히

---

17 **constant**
[kánstənt]

형 **끊임없는, 지속적인**

Kittens need **constant** attention.
아기 고양이는 **지속적인** 관심이 필요하다.

constantly 부 끊임없이, 계속

---

18 **rapid**
[rǽpid]

형 **빠른, 급속한**

The disease spread at a **rapid** rate.
그 질병은 **빠른** 속도로 퍼졌다.

+ a **rapid** change[growth] 급속한 변화[성장]

rapidly 부 신속하게, 빨리

---

19 **due**
[djuː]

형 1. **~하기로 예정된** 2. (돈을) **지불해야 하는**

My sister is **due** to enter middle school next year. 내 여동생은 내년에 중학교에 입학할 **예정이다**.

The rent is **due** by the end of the month.
집세는 월말까지 **내야 한다**.

+ be **due** to ~할 예정이다, ~하기로 되어 있다

어휘력 UPGRADE

20 **lately**
[léitli]

부 **최근에, 요즘**

He has been exercising a lot **lately.**
그는 **최근에** 운동을 많이 하고 있다.

late 형 늦은 부 늦게
유의어 recently

시험 POINT late vs. lately

네모 안에서 알맞은 것을 고르시오.

We arrived [late / lately] at the airport.
우리는 공항에 늦게 도착했다.

late: 늦은, 늦게
lately: 최근에

정답 late

---

21 **gradually**
[grǽdʒuəli]

부 **점차, 서서히**

The patient **gradually** got better.
그 환자는 **서서히** 상태가 좋아졌다.

gradual 형 점진적인
반의어 suddenly 갑자기

---

22 **immediately**
[imíːdiətli]

부 **곧바로, 즉시**

He gave me a gift, and I opened it **immediately.**
그는 나에게 선물을 주었고, 나는 그것을 **곧바로** 열어보았다.

immediate 형 즉각적인

---

23 **midnight**
[mídnait]

명 **자정, 밤 열두 시, 한밤중**

The night train is due to leave at **midnight.**
그 야간열차는 **자정**에 출발하기로 되어 있다.

교과서 필수 암기 숙어

24 **all the way**

내내, 줄곧

We had to run **all the way** to school.
우리는 학교까지 가는 **내내** 뛰어야만 했다.

---

25 **in time**

시간에 맞춰, 늦지 않게

We arrived **in time** to catch the last train.
우리는 마지막 열차를 탑승할 **시간에 맞춰** 도착했다.

비교 in time은 '정해진 시간 내에'라는 뜻이고 on time은 '정해진 시간에, 정각에'라는 뜻이에요.

Daily Test

STEP 1 빈틈없이 확인하기

[01-25] 영어는 우리말로, 우리말은 영어로 쓰시오.

01 current

02 brief

03 nowadays

04 recent

05 rapid

06 following

07 rarely

08 postpone

09 extend

10 constant

11 due

12 lately

13 현대의, 근대의

14 세기, 100년

15 이전의, 앞선

16 지연, 지체; 미루다

17 10년

18 영구적인, 영속적인

19 빈번한, 잦은

20 점차, 서서히

21 무작위의, 임의의

22 곧바로, 즉시

23 자정, 한밤중

24 all the way

25 시간에 맞춰, 늦지 않게

정답 p.296

STEP 2 제대로 적용하기

A 단어

주어진 단어를 의미에 맞게 바꿔 쓰시오.

01 frequent → 자주, 흔히 ______________

02 extend → 연장, 확대 ______________

03 constant → 끊임없이, 계속 ______________

04 late → 최근에, 요즘 ______________

B 구

우리말 의미에 맞게 빈칸에 알맞은 말을 쓰시오.

01 급속한 변화 a ______________ change

02 자정에 at ______________

03 최근 몇 년간 in ______________ years

04 무작위의 숫자 a ______________ number

05 18세기 초에 in the early 18th ______________

C 문장

빈칸에 알맞은 말을 넣어 문장을 완성하시오.

01 She ______________ makes a mistake. 그녀는 좀처럼 실수하지 않는다.

02 He has worked for the company for ______________.
그는 수십 년간 그 회사에서 일해 왔다.

03 The President is ______________ to visit the country next month.
대통령은 다음 달에 그 나라를 방문하기로 예정되어 있다.

04 He didn't speak a word ______________ ______________ ______________ home. 그는 집에 오는 내내 한마디도 하지 않았다.

05 Online sales increased by 20 percent from the ______________ year.
온라인 판매가 전년에 비해 20퍼센트 증가했다.

내신 대비 어휘 Test

PART 6

01 짝지어진 두 단어의 관계가 나머지와 다른 하나는?

① vary – differ
② broad – narrow
③ entire – whole
④ forecast – predict
⑤ expose – reveal

02 문맥상 빈칸에 들어갈 말로 알맞은 것은?

Many animals and plants are ___________. They no longer exist on earth.

① freezing
② dramatic
③ extinct
④ permanent
⑤ endangered

03 단어와 의미가 바르게 연결되지 않은 것은?

① decade: a period of ten years
② modern: belonging to the present time
③ surface: the top layer of something
④ drought: a long period of dry weather
⑤ brief: lasting for a long time

04 다음 영영풀이에 해당하는 단어로 알맞은 것은?

to make air, water, or land dirty and dangerous to use

① evolve
② preserve
③ pollute
④ maintain
⑤ occupy

정답 p.297

05 빈칸에 들어갈 말이 순서대로 바르게 짝지어진 것은?

- All our efforts were ___________ vain.
- His careless driving brought ___________ an accident.
- I have already run out ___________ money.

① in – up – with ② on – to – with ③ in – up – of
④ on – about – of ⑤ in – about – of

06 밑줄 친 단어의 쓰임이 어색한 것은? DAY 28, 29, 30 시험 POINT

① I've been really busy lately.
② My brother rarely eats vegetables.
③ We played badly, so we lost.
④ Colors can have an affect on our moods.
⑤ The desks are arranged in six rows.

07 (A)와 (B)에서 알맞은 말을 각각 골라 쓰시오. DAY 26 시험 POINT

서술형

The company (A) [adapted / adopted] new policies, so the workers need to (B) [adapt / adopt] to the new environment.

(A) ______________ (B) ______________

08 우리말과 일치하도록 주어진 단어를 이용하여 문장을 완성하시오. DAY 29 시험 POINT

서술형

아마존 강은 남아메리카에 위치해 있다.

→ The Amazon River ____________________________ South America. (locate)

PART 7

DAY 31 과학과 연구

DAY 32 기술과 우주

DAY 33 기계와 컴퓨터

DAY 34 사물과 특징

DAY 35 수량과 정도

DAY

31 과학과 연구

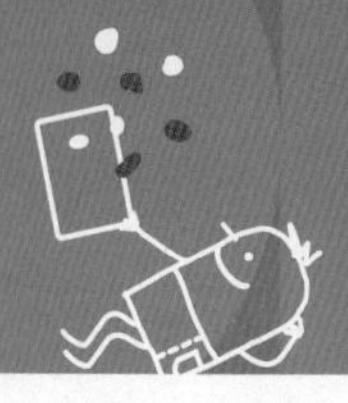

어휘력 UPGRADE

01 **scientific** [sàiəntífik]

형 과학의, 과학적인

She has a lot of **scientific** knowledge.
그녀는 풍부한 **과학적** 지식을 가지고 있다.

science 명 과학
scientist 명 과학자

---

02 **progress** 명사 [prá:gres] 동사 [prəgrés]

명 진전, 진보 동 진행되다

They have made great scientific **progress**.
그들은 큰 과학적 **진보**를 이루었다.

The project **progressed** according to plan.
그 프로젝트는 계획대로 **진행되었다**.

명사일 때와 동사일 때 강세 위치가 다르니 주의하세요.

시험 POINT progress vs. process

네모 안에서 알맞은 것을 고르시오.

The student made [progress / process] in math.
그 학생은 수학에서 진전이 있었다.

progress: 진전, 진보
process: 과정

정답 progress

---

03 **experiment** [ikspérimənt]

명 실험 동 실험하다

Students do a lot of **experiments** in science class. 학생들은 과학 시간에 여러 가지 **실험**을 한다.

We should stop **experimenting** on animals.
우리는 동물에 **실험하는** 것을 중단해야 한다.

experimental
형 실험의, 실험적인

---

04 **laboratory** [lǽbərətɔ:ri]

명 실험실

The scientists work in the **laboratory** every day.
그 과학자들은 매일 **실험실**에서 일한다.

⊕ a science **lab** 과학 실험실

laboratory를 줄여서 lab으로 쓰기도 해요.

---

05 **research** [risə́:rtʃ]

명 연구, 조사 동 연구하다, 조사하다

They did medical **research** together.
그들은 함께 의학 **연구**를 했다.

He **researched** many things for his new book.
그는 새 책을 위해 많은 것들을 **조사했다**.

researcher
명 연구원, 조사원

어휘력 UPGRADE

06 **method** [méθəd]

명 방법

Let's try again using a different **method**.
다른 **방법**을 써서 다시 시도해 봅시다.

07 **stage** [steidʒ]

명 1. 단계, 시기 2. 무대

The experiment is now in the final **stage**.
그 실험은 현재 최종 **단계**이다.

He appeared on **stage** as a singer.
그는 가수로 **무대**에 섰다.

08 **difficulty** [dífikəlti]

명 어려움, 곤란

There are several **difficulties** with this experiment. 이 실험에는 몇 가지 **어려움**이 있다.

⊕ without **difficulty** 어려움 없이, 쉽게

difficult 형 어려운, 힘든

09 **microscope** [máikrəskòup]

명 현미경

We can see extremely small things through a **microscope**.
우리는 **현미경**을 통해 매우 작은 것들을 볼 수 있다.

micro(매우 작은)+ scope(관찰 기구)

10 **element** [éləmənt]

명 1. 요소, 성분 2. 원소 (물질을 구성하는 기본 요소)

Health is an essential **element** of happiness.
건강은 행복의 필수 **요소**이다.

⊕ a chemical **element** 화학 원소

elementary 형 기본적인, 초급의

11 **discover** [diskʌ́vər]

동 발견하다

The scientist **discovered** a new chemical element. 그 과학자가 새로운 화학 원소를 **발견했다**.

discovery 명 발견

12 **generate** [dʒénəreit]

동 발생시키다, 만들어내다

The machine **generates** energy from the wind.
그 기계는 바람으로 에너지를 **만들어낸다**.

⊕ **generate** electricity 전기를 발생시키다

generation 명 세대, 발생

어휘력 UPGRADE

13 **electric** [iléktrik]

형 전기의, 전기를 이용하는

I use an **electric** heater to keep my room warm.
나는 내 방을 따뜻하게 유지하기 위해 **전기**난로를 이용한다.

⊕ **electric** current[power] 전류[전력]

electricity 명 전기

14 **physics** [fíziks]

명 물리학

Physics is the study of matter and energy.
물리학은 물질과 에너지에 대한 학문이다.

physical 형 물질의, 신체의

15 **chemistry** [kémistri]

명 화학

He majored in **chemistry** at university.
그는 대학에서 **화학**을 전공했다.

chemical 형 화학의, 화학적인

16 **reflect** [riflékt]

동 1. 비추다 2. 반사하다 3. 반영하다, 나타내다

My face is **reflected** in the mirror.
내 얼굴이 거울에 **비친다**.

White materials **reflect** more light than dark ones. 흰색 물질은 어두운 물질보다 더 많은 빛을 **반사한다**.

⊕ **reflect** reality 현실을 반영하다

reflection 명 반영, 반사

17 **absorb** [əbsɔ́ːrb]

동 1. 흡수하다 2. (관심을) 빼앗다

Plants **absorb** water from the soil.
식물은 토양에서 수분을 **흡수한다**.

He was **absorbed** in the book.
그는 그 책에 정신을 **빼앗겼다**.

⊕ be **absorbed** in ~에 열중하다[정신이 팔리다]

18 **freeze** [friːz] froze-frozen

동 얼다, 얼리다

Seawater doesn't **freeze** at 0 °C.
바닷물은 0도에서 **얼지** 않는다.

frozen 형 언, 냉동한

19 **mixture** [míkstʃər]

명 혼합물

Air is a **mixture** of various of gases.
공기는 다양한 기체들의 **혼합물**이다.

mix 동 섞다, 섞이다

어휘력 UPGRADE

20 **flame**
[fleim]

명 **불꽃, 불길**

The hottest part of a candle's **flame** is the blue part. 초의 **불꽃**에서 가장 뜨거운 부분은 파란 부분이다.

---

21 **filter**
[fíltər]

동 **여과하다, 거르다** (액체·기체를 깨끗하게 걸러 주다) 명 **필터, 여과 장치**

The ozone layer **filters** UV rays from the sun.
오존층은 태양으로부터 나오는 자외선을 **걸러 준다**.

You should replace your water **filter** regularly.
너는 정수기 **필터**를 정기적으로 교체해야 한다.

---

22 **basis**
[béisis]

명 **기초, 근거**

This result can be a **basis** for future research.
이 결과는 미래 연구를 위한 **기초**가 될 수 있다.

basic 형 기초의

---

23 **institute**
[ínstitjuːt]

명 **기관, 협회** (목적을 가진 모임이나 단체)

She is a chief scientist at the research **institute**.
그녀는 그 연구 **기관**의 수석 과학자이다.

교과서 필수 암기 숙어

24 **consist of**

~로 이루어지다, ~로 구성되다

Water **consists of** hydrogen and oxygen.
물은 수소와 산소**로 이루어져 있다**.

유의어 be composed of

시험 POINT consist of의 용법

네모 안에서 알맞은 것을 고르시오.

The book [consists of / is consisted of] three chapters.
그 책은 3개의 챕터로 구성되어 있다.

consist of는 수동태로 쓰지 않는다.

정답 consists of

---

25 **figure out**

이해하다, 알아내다

I'll **figure out** how to solve the problem.
나는 그 문제를 푸는 방법을 **알아낼** 것이다.

Daily Test

STEP 1 빈틈없이 확인하기

[01-25] 영어는 우리말로, 우리말은 영어로 쓰시오.

01 progress

02 experiment

03 research

04 method

05 element

06 generate

07 reflect

08 flame

09 absorb

10 mixture

11 institute

12 basis

13 과학의, 과학적인

14 실험실

15 어려움, 곤란

16 단계, 시기, 무대

17 현미경

18 발견하다

19 전기의

20 얼다, 얼리다

21 물리학

22 여과하다; 필터

23 화학

24 consist of

25 이해하다, 알아내다

정답 p.297

STEP 2 제대로 적용하기

A 단어

주어진 단어를 의미에 맞게 바꿔 쓰시오.

01 discover → 발견 ____________

02 basic → 기초, 근거 ____________

03 freeze → 언, 냉동한 ____________

04 mix → 혼합물 ____________

05 chemistry → 화학의 ____________

B 구

우리말 의미에 맞게 빈칸에 알맞은 말을 쓰시오.

01 전력 ____________ power

02 화학 원소 a chemical ____________

03 어려움 없이 without ____________

04 전기를 발생시키다 ____________ electricity

05 현실을 반영하다 ____________ reality

C 문장

보기 에서 알맞은 말을 골라 문장을 완성하시오.

보기	stage	scientific	progress	absorbed	consist

01 Most of the students are making good ____________.

02 The project is still in its early ____________.

03 He was ____________ in the new research.

04 Living things ____________ of a number of cells.

05 There is no ____________ basis for the theory.

DAY

32 기술과 우주

들으며 외우기

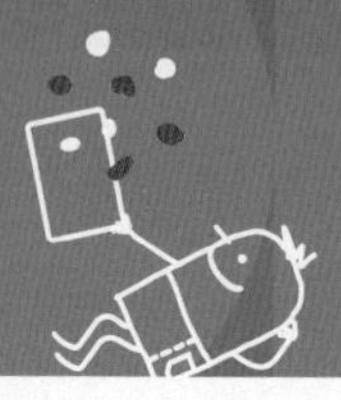

어휘력 UPGRADE

01 **technology** [tekná:lədʒi]

명 (과학) 기술

New **technology** is changing the world.
신**기술**이 세상을 바꾸고 있다.

technological 형 과학 기술의

---

02 **develop** [divéləp]

동 1. 성장[발전]하다, 성장[발전]시키다 2. 개발하다

The company has **developed** rapidly.
그 회사는 빠르게 **성장했다**.

⊕ **develop** new products 신제품을 개발하다

development 명 발달, 개발

---

03 **evidence** [évidəns]

명 증거, 근거, 흔적

There is no **evidence** of life on other planets.
다른 행성에는 생명의 **흔적**이 없다.

⊕ scientific **evidence** 과학적 증거

evident 형 분명한

---

04 **artificial** [ɑ̀:rtəfíʃəl]

형 인공적인, 인조의 (사람이 만든)

Artificial intelligence is used in many areas.
인공 지능은 여러 분야에서 이용된다.

⊕ **artificial** flowers 조화

artificial intelligence (인공 지능)를 줄여서 AI 라고 해요.

---

05 **invent** [invént]

동 발명하다

The internet was **invented** in the U.S.
인터넷은 미국에서 **발명되었다**.

invention 명 발명
inventor 명 발명가

---

06 **significant** [signífikənt]

형 중요한, 의미 있는

What's the most **significant** invention of the 20th century? 20세기의 가장 **중요한** 발명품은 무엇인가요?

significance 명 중요성

시험 POINT significant의 의미

밑줄 친 단어의 의미로 알맞은 것을 고르시오.

AI will play a significant role in the future.

ⓐ different ⓑ important ⓒ creative

미래에는 AI가 중요한 역할을 할 것이다.
ⓐ 다른 ⓒ 창의적인

정답 ⓑ

어휘력 UPGRADE

07 **replace**
[ripléis]

동 1. 대신하다, 대체하다 2. 바꾸다, 교체하다

Robots can **replace** humans in certain tasks.
어떤 일에서는 로봇이 인간을 **대신할** 수 있다.

They **replaced** the old TV with a new one.
그들은 오래된 TV를 새 것으로 **교체했다**.

⊕ **replace** *A* with *B* A를 B로 교체하다

---

08 **advance**
[ədvǽns]

명 진보 동 진보하다

Einstein made great **advances** in physics.
아인슈타인은 물리학에서 큰 **진보**를 이루었다.

Information technology is **advancing** very fast.
정보 기술이 매우 빠르게 **진보하고** 있다.

---

09 **telescope**
[téləskòup]

명 망원경

You can see the surface of the moon through a **telescope**. 너는 **망원경**을 통해 달의 표면을 볼 수 있다.

tele(멀리 떨어진) + scope(관찰 기구)

---

10 **satellite**
[sǽtəlait]

명 (인공)위성

Satellites collect information about the earth from space. **인공위성**은 우주에서 지구에 관한 정보를 수집한다.

⊕ a weather **satellite** 기상위성

---

11 **observe**
[əbzə́ːrv]

동 관찰하다, 관측하다

Galileo used his telescope to **observe** the night sky.
갈릴레오는 밤하늘을 **관측하기** 위해 그의 망원경을 이용했다.

observation
명 관찰, 관측

---

12 **universe**
[júːnəvəːrs]

명 우주

Some scientists believe that the **universe** is still expanding.
몇몇 과학자들은 **우주**가 여전히 팽창하고 있다고 믿는다.

universal
형 전 세계의, 일반적인

---

13 **galaxy**
[gǽləksi]

명 은하, 은하계

A **galaxy** is a large group of stars and planets.
은하는 별과 행성의 큰 집합체이다.

우주의 수많은 은하 중 태양계가 속한 은하를 the galaxy(은하계) 또는 our galaxy(우리 은하)라고 해요.

어휘력 UPGRADE

14 **origin**
[ɔ́:ridʒin]

명 기원, 근원 (생기거나 시작되는 곳)

The Big Bang theory explains the **origins** of the universe.
빅뱅 이론은 우주의 **기원**을 설명한다.

⊕ the **origins** of life 생명의 근원

originate
동 비롯되다, 유래하다

15 **rotate**
[róuteit]

동 회전하다, 회전시키다

In the past, people believed the sun **rotated** around the earth.
과거에 사람들은 태양이 지구 주위를 **돈다고** 믿었다.

rotation
명 회전, 자전

16 **astronaut**
[ǽstrənɔ:t]

명 우주 비행사

Who was the first **astronaut** on the moon?
달에 착륙한 최초의 **우주 비행사**는 누구였나요?

17 **launch**
[lɔ:ntʃ]

동 1. 시작하다, 출시하다 2. 발사하다
명 1. 개시, 출시 2. 발사

They **launched** a new campaign.
그들은 새로운 캠페인을 **시작했다**.

They're trying to **launch** the rocket again.
그들은 그 로켓을 다시 **발사하기** 위해 노력 중이다.

The official **launch** date is March 1.
공식적인 **출시** 날짜는 3월 1일이다.

18 **creature**
[krí:tʃər]

명 생명체, 생물

The movie is about a mysterious **creature** from another planet.
그 영화는 다른 행성에서 온 신비한 **생명체**에 관한 것이다.

19 **atmosphere**
[ǽtməsfiər]

명 1. (지구의) 대기 (지구를 둘러싸고 있는 공기층) 2. 분위기

The satellite entered the earth's **atmosphere**.
인공위성이 지구의 **대기권**으로 진입했다.

The house has a cozy **atmosphere**.
그 집은 아늑한 **분위기**를 풍긴다.

어휘력 UPGRADE

20 **demonstrate** [démənstrèit]

동 1. 증명하다 2. (사용법을) **보여주다**

How can you **demonstrate** that the Earth is round? 지구가 둥글다는 것을 어떻게 **증명할** 수 있나요?

He **demonstrated** how to use the program.
그는 그 프로그램을 어떻게 사용하는지 **보여주었다**.

demonstration
명 (시범) 설명, 입증

---

21 **gravity** [grǽvəti]

명 **중력** (행성이 물체를 잡아당기는 힘)

The **gravity** of the moon is less than that of the earth. 달의 **중력**은 지구의 중력보다 작다.

---

22 **internal** [intə́ːrnl]

형 1. 내부의 2. 체내의

Let's discuss the **internal** structure of the earth.
지구의 **내부** 구조에 대해 이야기해 봅시다.

⊕ **internal** injuries 내상(몸 안의 장기가 손상을 입은 것)

반의어 external
외부의

---

23 **explore** [iksplɔ́ːr]

동 **탐험하다, 탐사하다**

It is difficult to **explore** the ocean floor.
해저를 **탐험하는** 것은 어렵다.

exploration
명 탐험, 탐사

교과서 필수 암기 숙어

24 **be equipped with**

~을 갖추다, ~이 장착되어 있다

The spaceship **is equipped with** the latest technology.
그 우주선은 최신 기술**을 갖추고 있다**.

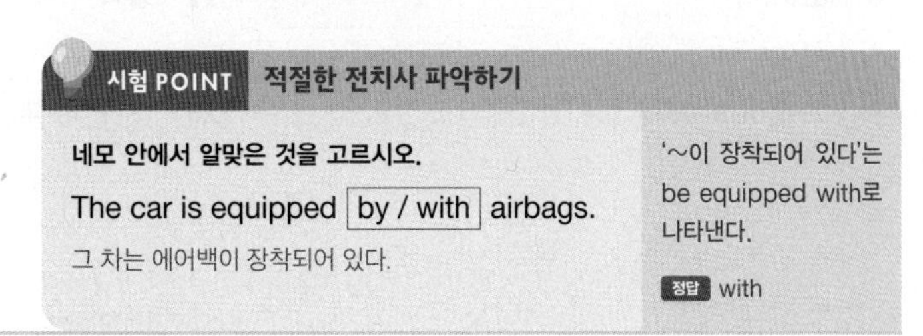
시험 POINT 적절한 전치사 파악하기

네모 안에서 알맞은 것을 고르시오.

The car is equipped [by / with] airbags.
그 차는 에어백이 장착되어 있다.

'~이 장착되어 있다'는 be equipped with로 나타낸다.

정답 with

---

25 **before long**

머지않아, 곧

I believe time travel will be possible **before long**.
나는 **머지않아** 시간 여행이 가능해질 것이라고 믿는다.

Daily Test

STEP 1 빈틈없이 확인하기

[01-25] 영어는 우리말로, 우리말은 영어로 쓰시오.

01 develop
02 evidence
03 advance
04 significant
05 satellite
06 universe
07 origin
08 rotate
09 astronaut
10 launch
11 demonstrate
12 internal
13 과학 (기술)
14 발명하다
15 대신하다, 교체하다
16 인공적인, 인조의
17 망원경
18 관찰하다, 관측하다
19 은하, 은하계
20 탐험하다, 탐사하다
21 생명체, 생물
22 중력
23 (지구의) 대기, 분위기
24 be equipped with
25 머지않아, 곧

정답 p.298

STEP 2 제대로 적용하기

A 단어

주어진 단어를 의미에 맞게 바꿔 쓰시오.

01 technology → 과학 기술의 ______________

02 invent → 발명가 ______________

03 observe → 관찰, 관측 ______________

04 rotate → 회전, 자전 ______________

05 universe → 전 세계의, 일반적인 ______________

B 구

우리말 의미에 맞게 빈칸에 알맞은 말을 쓰시오.

01 신제품을 개발하다 ______________ new products

02 기상 위성 weather ______________

03 지구의 대기권 the earth's ______________

04 조화 ______________ flowers

05 과학적 증거 scientific ______________

C 문장

보기에서 알맞은 말을 골라 문장을 완성하시오.

보기 replaced advance equipped significant demonstrated

01 Every classroom is ______________ with a TV.

02 Air pollution is a ______________ problem in cities.

03 The company ______________ employees with machines.

04 The teacher ______________ how to use the telescope.

05 Science has made huge ______________ in the 20th century.

DAY
33 기계와 컴퓨터

어휘력 UPGRADE

01 **device** [diváis]

명 장치, 기구

He invented a **device** for generating electricity.
그는 전기를 발생시키는 **장치**를 발명했다.

devise
동 고안하다, 발명하다

---

02 **function** [fʌ́ŋkʃən]

명 기능 동 기능하다, 작동하다

What is the main **function** of an engine?
엔진의 주요 **기능**은 무엇인가요?

The alarm clock doesn't **function** properly.
그 알람 시계는 제대로 **작동하지** 않는다.

---

03 **operate** [ɑ́:pəreit]

동 1. (기계를) 작동시키다 2. 수술하다 3. 운영하다

We learned how to **operate** the machine.
우리는 그 기계를 **작동시키는** 법을 배웠다.

The doctors will **operate** on my arm.
그 의사들은 내 팔을 **수술할** 것이다.

The company **operates** hotels in Europe.
그 회사는 유럽에서 호텔을 **운영한다**.

operation
명 수술, 작동

---

04 **convenient** [kənví:njənt]

형 편리한

The camera is easy and **convenient** to use.
그 카메라는 사용하기에 쉽고 **편리하다**.

convenience
명 편리, 편의

---

05 **repair** [ripɛ́ər]

동 수리하다, 수선하다 명 수리, 수선

He is good at **repairing** computers.
그는 컴퓨터를 **수리하는** 데 능숙하다.

+ a **repair** shop 수리점, 정비소

---

06 **electronic** [ilektrɑ́:nik]

형 전자의, 전자 장비의

Please turn off all **electronic** devices.
모든 **전자** 장비를 꺼 주세요.

+ an **electronic** book 전자책

electric(전기의, 전기를 이용하는)과 헷갈리지 않도록 주의하세요.
e.g. electric guitar

어휘력 UPGRADE

07 **provide**
[prəváid]

동 제공하다

We **provide** a 24-hour repair service.
우리는 24시간 수리 서비스를 **제공합니다**.

08 **inspect**
[inspékt]

동 점검하다, 검사하다

Vehicles should be **inspected** regularly.
차량은 정기적으로 **점검을 받아야** 한다.

09 **manual**
[mǽnjuəl]

명 설명서 형 손을 쓰는, 육체노동의

Read the **manual** before you use it.
그것을 사용하기 전에 **설명서**를 읽어 봐.

+ a **manual** worker 육체노동자

10 **enable**
[inéibl]

동 ~할 수 있게 하다, 가능하게 하다

Computers **enable** us to work faster.
컴퓨터는 우리가 더 빨리 일**할 수 있게 해 준다**.

+ **enable** *A* to *B* A에게 B를 가능하게 하다

시험 POINT enable A to B

네모 안에서 알맞은 것을 고르시오.

This ticket enables you [to ride / riding] the subway for three days.
이 티켓으로 너는 3일 동안 지하철을 탈 수 있다.

enable은 to부정사와 함께 쓴다.

정답 to ride

11 **mobile**
[móubəl]

명 휴대 전화 형 이동식의

What's your **mobile** number?
당신의 **휴대 전화** 번호가 어떻게 되나요?

+ **mobile** equipment 이동식 장비

12 **wireless**
[wáiərlis]

형 무선의

Use our **wireless** internet service for free.
우리의 **무선** 인터넷 서비스를 무료로 이용하세요.

wi-fi(와이파이)의 wi는 wireless의 줄임말이에요.

13 **obtain**
[əbtéin]

동 얻다, 획득하다

Visit our website to **obtain** further information.
더 많은 정보를 **얻으려면** 저희 웹사이트를 방문하세요.

유의어 get

어휘력 UPGRADE

14 **perform**
[pərfɔ́ːrm]

동 1. 수행하다 2. 공연하다, 연주하다

A computer can **perform** many tasks at the same time. 컴퓨터는 동시에 많은 업무를 **수행할** 수 있다.

The musical was first **performed** in London.
그 뮤지컬은 런던에서 처음 **공연되었다**.

performance
명 공연, 연주, 성과

15 **delete**
[dilíːt]

동 삭제하다

I **deleted** the file by mistake.
나는 실수로 그 파일을 **삭제했다**.

키보드의 Delete 키는 타이핑한 내용을 지울 때 사용해요.

16 **save**
[seiv]

동 1. 구하다 2. 저축하다 3. 절약하다, 아끼다
4. (파일을) 저장하다

The doctor **saved** my life. 그 의사가 내 목숨을 **구했다**.

We took a taxi to **save** time.
우리는 시간을 **절약하기** 위해 택시를 탔다.

Save the file frequently. 파일을 자주 **저장해라**.

시험 POINT save의 의미

밑줄 친 단어의 의미를 쓰시오.

1. We should save energy.
2. Please save the file.

1. 우리는 에너지를 절약해야 한다.
2. 파일을 저장하세요.

정답 1. 절약하다
2. 저장하다

17 **install**
[instɔ́ːl]

동 설치하다

Did you **install** this program on your computer?
네 컴퓨터에 이 프로그램을 **설치했니**?

installation 명 설치

18 **virtual**
[və́ːrtʃuəl]

형 가상의 (실제로 존재하지 않고 상상으로 만들어진)

You can do anything in a **virtual** world.
너는 **가상** 세계에서 무엇이든 할 수 있다.

⊕ **virtual** reality 가상 현실

19 **virus**
[váirəs]

명 바이러스

How can I get rid of the **virus** on my laptop?
내 노트북의 **바이러스**를 어떻게 제거할 수 있나요?

⊕ the flu **virus** 독감 바이러스

virus는 컴퓨터에 문제를 일으키는 바이러스나 질병을 유발하는 바이러스 두 가지를 모두 뜻해요.

20 **drag**
[dræg]
dragged-dragged

동 1. (힘을 들여) **끌다** 2. (마우스로) **드래그하다**

We **dragged** the desk out of the classroom.
우리는 그 책상을 교실 밖으로 **끌어냈다**.

Drag all the images with a mouse.
마우스로 모든 이미지를 **드래그하세요**.

21 **code**
[koud]

명 **암호, 부호**

The soldiers tried to break the enemy's **code**.
그 군인들은 적군의 **암호**를 풀려고 노력했다.

22 **access**
[ǽkses]

명 **접근(권)** 동 (컴퓨터에) **접속하다**

He has **access** to all of the information.
그는 모든 정보에 **접근**할 수 있다.

⊕ **access** the internet 인터넷에 접속하다

accessible
형 접근 가능한

23 **link**
[liŋk]

동 **연결하다** 명 1. **관련, 연결** 2. (인터넷상의) **링크**

The bridge **links** the two countries.
그 다리는 그 두 나라를 **연결한다**.

Do not click on the **links** in the email.
이메일에 있는 **링크**를 클릭하지 마시오.

⊕ the **link** between money and happiness
돈과 행복 사이의 관련성

교과서 필수 암기 숙어

24 **out of order**

고장 난

I think the printer is **out of order**.
그 프린터는 **고장 난** 것 같다.

25 **prevent *A* from -ing**

A가 ~하는 것을 막다[방지하다]

This program will **prevent** you **from** accessing harmful websites. 이 프로그램은 당신이 유해한 웹사이트에 접근하는 **것을 막아 줄** 것이다.

Daily Test

STEP 1 빈틈없이 확인하기

[01-25] 영어는 우리말로, 우리말은 영어로 쓰시오.

01 function

02 operate

03 electronic

04 device

05 inspect

06 enable

07 obtain

08 virtual

09 save

10 delete

11 drag

12 link

13 제공하다

14 편리한

15 수리하다; 수리, 수선

16 무선의

17 설명서; 육체노동의

18 휴대 전화; 이동식의

19 수행하다, 공연하다

20 설치하다

21 바이러스

22 접근(권); 접속하다

23 암호, 부호

24 prevent *A* from -ing

25 고장 난

정답 p.298

STEP 2 제대로 적용하기

A 단어

주어진 단어를 의미에 맞게 바꿔 쓰시오.

01 convenient → 편리, 편의 ____________

02 install → 설치 ____________

03 devise → 장치, 기구 ____________

04 operate → 수술, 작동 ____________

05 perform → 공연, 연주, 성과 ____________

B 구

우리말 의미에 맞게 빈칸에 알맞은 말을 쓰시오.

01 전자책 an ____________ book

02 수리점, 정비소 a ____________ shop

03 인터넷에 접속하다 ____________ the internet

04 이동식 장비 ____________ equipment

05 가상 현실 ____________ reality

C 문장

빈칸에 알맞은 말을 넣어 문장을 완성하시오.

01 This camera has an automatic ____________.
이 카메라는 자동 기능을 갖고 있다.

02 Don't ____________ your password on a public computer.
공공 컴퓨터에 너의 비밀번호를 저장하지 마라.

03 You have to ____________ the program completely.
너는 그 프로그램을 완전히 삭제해야 한다.

04 This program can ____________ you from getting spam emails.
이 프로그램은 당신이 스팸 메일을 받는 것을 막아 줄 수 있다.

DAY

34 사물과 특징

들으며 외우기

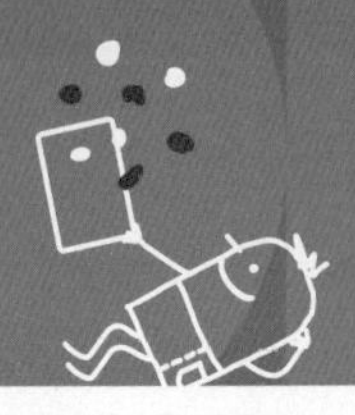

어휘력 UPGRADE

01 **feature** [fíːtʃər]

명 특징, 특색 동 특징을 이루다, ~이 특징이다

The best **feature** of the house is its large balcony. 그 집의 가장 큰 **특징**은 넓은 발코니이다.

This menu **features** fresh ingredients.
이 메뉴는 신선한 재료를 **특징으로 한다**.

02 **difference** [dífərəns]

명 차이, 다름

There are cultural **differences** between the East and the West. 동양과 서양 사이에는 문화적 **차이**가 있다.

different 형 다른
반의어 similarity 유사성

03 **distinct** [distíŋkt]

형 1. 다른, 별개의 2. 분명한, 뚜렷한

The two languages are quite **distinct**.
그 두 언어는 꽤 **다르다**.

The smell became more **distinct**.
냄새가 더 **뚜렷해졌다**.

04 **stuff** [stʌf]

명 것, 물건, 일

We moved all the **stuff** into the car.
우리는 모든 **물건**을 차로 옮겼다.

She has a lot of **stuff** to do today.
그녀는 오늘 해야 할 **일**이 많다.

05 **specific** [spisífik]

형 1. 특정한 2. 구체적인, 명확한

The building was built for a **specific** purpose.
그 건물은 **특정한** 목적을 위해 지어졌다.

⊕ a **specific** example 구체적인 예시

유의어 particular 특정한

06 **typical** [típikəl]

형 전형적인, 대표적인 (어떤 부류의 특징을 잘 나타내는)

This is a **typical** Mexican restaurant.
이곳은 **전형적인** 멕시코 식당이다.

typically 부 보통, 일반적으로

어휘력 UPGRADE

07 **contrast**
명사 [kɑ́:ntræst]
동사 [kəntrǽst]

명 대조, 차이 동 대조하다, 대조를 이루다

The two cities make an interesting **contrast**.
그 두 도시는 흥미로운 **대조**를 이룬다.

+ compare and **contrast** 비교하고 대조하다

08 **define**
[difáin]

동 정의하다, 뜻을 명확히 하다

How would you **define** the word 'happiness'?
당신은 '행복'이라는 단어를 어떻게 **정의하시겠어요**?

definition 명 정의

09 **clear**
[kliər]

형 1. 분명한, 확실한 2. 맑은, 투명한

Her explanation was simple and **clear**.
그녀의 설명은 간단하고 **분명했다**.

+ **clear** glass 투명한 유리

clearly 부 분명하게

10 **distinguish**
[distíŋgwiʃ]

동 구별하다, 구분하다

It's important to **distinguish** right from wrong.
옳고 그름을 **구별하는** 것은 중요하다.

+ **distinguish** *A* from *B* A와 B를 구별하다

시험 POINT **distinguish의 용법**

네모 안에서 알맞은 것을 고르시오.

You need to distinguish reality [for / from] fiction.

너는 현실과 허구를 구분할 수 있어야 한다.

'A와 B를 구별[구분]하다'는 「distinguish *A* from *B*」로 나타낸다.

정답 from

11 **odd**
[ɑ:d]

형 1. 이상한, 특이한 2. 홀수의

It was a really **odd** story. 그것은 정말 **이상한** 이야기였다.

+ **odd** numbers 홀수

반의어 even 짝수의

12 **pure**
[pjuər]

형 1. 순수한, 섞이지 않은 2. 깨끗한

These clothes are made of **pure** cotton.
이 옷들은 **순**면으로 만들어졌다.

+ **pure** water 깨끗한 물

purity 명 순도, 순수

어휘력 UPGRADE

13 **flexible** [fléksəbl]

형 유연한, 잘 구부러지는

The shoes are made of **flexible** materials.
그 신발은 **유연한** 재질로 만들어졌다.

---

14 **sticky** [stíki]

형 끈적거리는

There's something **sticky** on the bench.
벤치에 뭔가 **끈적거리는** 것이 있다.

쉽게 붙였다 뗄 수 있고 우리가 흔히 '포스트잇'으로 알고 있는 메모지를 sticky note라고 해요.

---

15 **rough** [rʌf]

형 1. 대략의, 대충의 2. (표면이) 거친

This is a **rough** idea for a new movie.
이것은 새 영화에 대한 **대략의** 아이디어이다.

⊕ a **rough** surface 울퉁불퉁한 표면

roughly
부 대략적으로

---

16 **alike** [əláik]

형 매우 비슷한 부 비슷하게

Most of today's cars look **alike**.
대부분의 요즘 차들은 **매우 비슷해** 보인다.

He tried to treat all the students **alike**.
그는 모든 학생들을 **비슷하게** 대하려고 노력했다.

형용사 alike는 명사 앞에는 쓰이지 않아요.

시험 POINT like vs. alike

네모 안에서 알맞은 것을 고르시오.

1. The twins look [like / alike].
2. She looks [like / alike] her sister.

1. 그 쌍둥이는 비슷해 보인다.
2. 그녀는 여동생처럼 생겼다.

정답 1. alike 2. like

---

17 **angle** [ǽŋgl]

명 1. 각도, 각 2. 관점, 시각

All four **angles** of a square are equal.
정사각형의 네 **각**은 모두 같다.

Look at the situation from a different **angle**.
그 상황을 다른 **관점**에서 보아라.

---

18 **tip** [tip]

명 1. 조언 2. 팁, 사례금 3. 끝 (부분)

Here are some **tips** for learning English.
영어 학습에 대한 몇 가지 **조언**이 있다.

He gave the waiter a **tip**. 그는 웨이터에게 **팁**을 주었다.

⊕ the **tip** of the nose 코의 끝 부분

어휘력 UPGRADE

19 **layer**
[léiər]

명 층, 겹

He was wearing several **layers** of clothing.
그는 여러 **겹**의 옷을 입고 있었다.

겹겹이 쌓여 있는 케이크의 시트도 레이어(layer)라고 해요.

---

20 **edge**
[edʒ]

명 가장자리, 모서리

I put the keyboard near the **edge** of the desk.
나는 책상 **가장자리** 근처에 키보드를 놓았다.

---

21 **dot**
[dɑːt]

명 (작고 동그란) 점

The small island looks like a **dot** on the map.
그 작은 섬은 지도 위에서 **점**처럼 보인다.

이메일이나 인터넷 주소의 .com은 dot com으로, .net은 dot net으로 읽어요.

---

22 **string**
[striŋ]

명 끈, 줄

I tied the package with a **string**.
나는 **끈**으로 소포를 묶었다.

---

23 **crack**
[kræk]

동 갈라지다, 금이 가다 명 (갈라져 생긴) 금

The ice on the lake began to **crack**.
호수의 얼음에 **금이 가기** 시작했다.

This glass has a **crack** in it. 이 유리잔은 **금**이 갔다.

교과서 필수 암기 숙어

24 **out of date**

구식이 된, (시대에) 뒤떨어진

The information in the book is **out of date**.
그 책의 정보는 **구식이다**.

반의어 up to date 현대식의, 최신 유행의

---

25 **cut down**

1. 줄이다 2. (나무를) 베다

I'm trying to **cut down** on sweets.
나는 단 음식을 **줄이려고** 노력 중이다.

Those trees will be **cut down** soon.
저 나무들은 조만간 **베어질** 것이다.

Daily Test

STEP 1 빈틈없이 확인하기

[01-25] 영어는 우리말로, 우리말은 영어로 쓰시오.

01 feature

02 distinct

03 stuff

04 typical

05 clear

06 odd

07 distinguish

08 sticky

09 difference

10 alike

11 string

12 dot

13 층, 겹

14 특정한, 구체적인

15 대조; 대조하다

16 정의하다

17 순수한, 깨끗한

18 유연한, 잘 구부러지는

19 각도, 관점

20 조언, 팁, 끝 (부분)

21 대략의, 거친

22 가장자리, 모서리

23 갈라지다; 금

24 cut down

25 구식이 된, 뒤떨어진

정답 p.298

STEP 2 제대로 적용하기

A 단어

주어진 단어를 의미에 맞게 바꿔 쓰시오.

01 different → 차이, 다름 ______________

02 define → 정의 ______________

03 pure → 순도, 순수 ______________

04 typical → 보통, 일반적으로 ______________

B 구

우리말 의미에 맞게 빈칸에 알맞은 말을 쓰시오.

01 홀수 ______________ numbers

02 울퉁불퉁한 표면 a ______________ surface

03 코의 끝 부분 the ______________ of the nose

04 책상 가장자리 the ______________ of the desk

05 구체적인 예시 a ______________ example

C 문장

빈칸에 알맞은 말을 넣어 문장을 완성하시오.

01 There's some ______________ stuff on the table.
식탁 위에 뭔가 끈적거리는 것이 있다.

02 Compare and ______________ the two movies.
그 두 영화를 비교하고 대조하시오.

03 It's hard to ______________ the original painting from its copy.
원작 그림과 복사본을 구별하는 것은 어렵다.

04 My PC is completely ______________ ______________ ______________.
내 PC는 완전히 구식이다.

05 An important ______________ of his paintings is their bright colors.
그의 그림의 중요한 특징은 밝은 색감이다.

DAY
35 수량과 정도

들으며 외우기

어휘력 UPGRADE

01 **figure**
[fígjər]

명 1. 수치, 숫자 2. 인물

The latest **figures** show that prices are rising.
최근의 **수치**는 물가가 오르고 있다는 것을 보여준다.

She is a leading **figure** in the film industry.
그녀는 영화 업계에서 주도적인 **인물**이다.

캐릭터나 유명 인사의 모습을 본떠 만든 모형을 '피규어(figure)'라고 해요.

---

02 **measure**
[méʒər]

동 재다, 측정하다 명 조치

How can we **measure** the depth of a river?
강의 깊이를 어떻게 **측정할** 수 있나요?

+ safety **measures** 안전 조치

measurement
명 측정, 치수

---

03 **estimate**
동사 [éstimeit]
명사 [éstimət]

동 추정하다, 어림잡다 명 추정(치)

We **estimate** the audience at 1,000 people.
우리는 관객을 천 명으로 **추산하고 있다**.

That's just a rough **estimate**.
그것은 대략적인 **추정치**일 뿐이다.

---

04 **precise**
[prisáis]

형 정확한, 정밀한

I want to know the **precise** figures.
나는 **정확한** 수치를 알고 싶다.

유의어 exact

precious(귀중한)와 헷갈리지 않도록 주의하세요.

---

05 **approximately**
[əprá:ksimətli]

부 대략, 거의

We'll arrive in **approximately** an hour.
우리는 **대략** 한 시간 후에 도착할 것이다.

유의어 roughly

---

06 **total**
[tóutl]

형 1. 총, 전체의 2. 완전한 명 합계

The **total** cost was 5,000 dollars.
총 비용은 5천 달러였다.

The experiment was a **total** failure.
그 실험은 **완전한** 실패였다.

+ in **total** 통틀어, 모두 합해서

어휘력 UPGRADE

07 **calculate**
[kǽlkjuleit]

동 계산하다

I **calculated** the cost of the trip.
나는 그 여행의 경비를 **계산했다**.

calculation
명 계산

---

08 **multiply**
[mʌ́ltiplai]

동 1. 곱하다 2. 증가하다, 증대하다

Multiply 2 and 5 together and you get 10.
2와 5를 **곱하면** 10이 된다.

The world population has **multiplied** rapidly.
세계의 인구는 빠르게 **증가했다**.

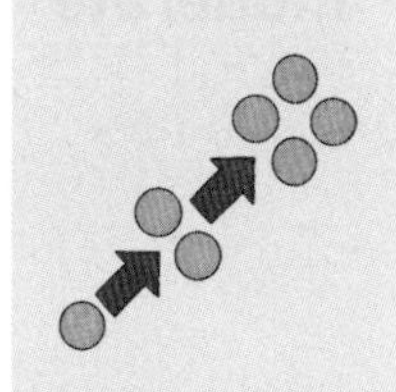

---

09 **maximum**
[mǽksiməm]

형 최대의, 최고의 명 최대, 최고

The KTX has a **maximum** speed of 300 km/h.
KTX는 **최고** 속도가 시속 300킬로미터이다.

⊕ a **maximum** of 10 years 최대 10년

반의어 minimum
최소의; 최소

---

10 **quantity**
[kwɑ́:ntəti]

명 양, 수량, 분량

An elephant consumes a large **quantity** of food.
코끼리는 많은 **양**의 음식을 먹는다.

⊕ a large[small] **quantity** of 대량의[소량의]

quality(질)와 헷갈리지 않도록 주의하세요.

시험 POINT quantity vs. quality

네모 안에서 알맞은 것을 고르시오.

A small [quality / quantity] of jewelry was stolen.
소량의 귀금속이 도난당했다.

quality: 질
quantity: 양

정답 quantity

---

11 **quarter**
[kwɔ́:rtər]

명 1. 4분의 1 2. 15분

Cut the pie into **quarters**. 파이를 **4등분**해서 잘라라.

It's a **quarter** to five now. 지금 5시 **15분** 전이다.

농구의 한 경기는 4개의 '쿼터(quarter)'로 구성되어 있어요.

---

12 **enormous**
[inɔ́:rməs]

형 막대한, 거대한

They spent an **enormous** amount of money on advertising. 그들은 광고에 **막대한** 액수의 돈을 썼다.

유의어 huge

어휘력 UPGRADE

13 **sufficient** [səfíʃənt]

형 충분한

The money is **sufficient** to pay the debt.
그 돈은 빚을 갚을 만큼 **충분하다**.

반의어 insufficient 불충분한

14 **moderate** [mɑ́:dərət]

형 보통의, 중간의, 적당한

Cook for 10 minutes over a **moderate** heat.
중간 불에서 10분 동안 익히세요.

⊕ **moderate** exercise 적당한 운동

15 **nearly** [níərli]

부 거의

It's **nearly** December. Christmas is coming!
거의 12월이야. 크리스마스가 다가오고 있어!

유의어 almost

near(가까운, 가까이)와 헷갈리지 않도록 주의하세요.

시험 POINT near vs. nearly

네모 안에서 알맞은 것을 고르시오.

It took [near / nearly] an hour to get there.
그곳에 도착하기까지 거의 한 시간이 걸렸다.

near: 가까운, 가까이
nearly: 거의

정답 nearly

16 **slight** [slait]

형 약간의, 경미한 (가볍고 아주 적은)

I have a **slight** headache.
나는 **약간의** 두통이 있다.

⊕ a **slight** difference 경미한 차이

slightly 부 약간

17 **average** [ǽvəridʒ]

형 평균의 명 평균

The **average** age of the audience was about 25.
관객들의 **평균** 연령은 약 25세였다.

The **average** of the numbers 3, 5, and 10 is 6.
숫자 3, 5, 10의 **평균**은 6이다.

18 **extreme** [ikstrí:m]

형 극심한, 극도의

We experienced **extreme** cold weather last winter. 우리는 작년 겨울에 **극도의** 추운 날씨를 경험했다.

⊕ **extreme** sports 익스트림[극한] 스포츠

extremely 부 극심하게

익스트림(extreme) 스포츠란 번지점프나 스카이다이빙처럼 위험이 따르는 스포츠를 의미해요.

19 **million** [míljən]

명 100만

She donated a **million** dollars to a charity.
그녀는 자선 단체에 **100만** 달러를 기부했다.

⊕ **millions** of people 수백만의 사람들

어휘력 UPGRADE

millionaire
명 백만장자

20 **billion** [bíljən]

명 10억

The video reached a **billion** views on YouTube.
그 영상은 유튜브에서 **10억** 조회수를 달성했다.

⊕ **billions** of dollars 수십억 달러

21 **reduce** [ridjúːs]

동 줄이다, 낮추다

Listening to music can **reduce** stress.
음악을 듣는 것이 스트레스를 **줄여줄** 수 있다.

reduction
명 축소, 감소

22 **quite** [kwait]

부 꽤, 상당히

The movie was **quite** interesting.
그 영화는 **상당히** 재미있었다.

유의어 fairly, pretty

quiet(조용한)와 헷갈리지 않도록 주의하세요.

23 **further** [fə́ːrðər]

부 더 멀리, 더 형 추가의

Let's walk a little **further**. 조금만 **더** 걷자.

⊕ **further** information 추가 정보

유의어 farther
더 멀리

교과서 필수 암기 숙어

24 **at least**

적어도, 최소한

It will take **at least** half an hour to fix it.
그것을 고치는 데 **최소한** 30분은 걸릴 것이다.

25 **in addition**

게다가

The room was quite comfortable. **In addition**, it had a great ocean view.
그 방은 상당히 안락했다. **게다가** 멋진 바다 전망을 가지고 있었다.

Daily Test

STEP 1 빈틈없이 확인하기

[01-25] 영어는 우리말로, 우리말은 영어로 쓰시오.

01	estimate		13	수치, 숫자, 인물	
02	total		14	재다, 측정하다; 조치	
03	precise		15	계산하다	
04	approximately		16	최대의; 최대, 최고	
05	multiply		17	4분의 1, 15분	
06	quantity		18	충분한	
07	enormous		19	평균의; 평균	
08	nearly		20	극심한, 극도의	
09	moderate		21	100만	
10	slight		22	줄이다, 낮추다	
11	billion		23	더 멀리; 추가의	
12	quite				

24 in addition

25 적어도, 최소한

정답 p. 299

STEP 2 제대로 적용하기

A 단어

주어진 단어를 지시대로 바꿔 쓰시오.

01 precise → 유의어 ____________

02 maximum → 반의어 ____________

03 sufficient → 반의어 ____________

04 huge → 유의어 ____________

05 almost → 유의어 ____________

B 구

우리말 의미에 맞게 빈칸에 알맞은 말을 쓰시오.

01 통틀어, 모두 합해서 in ____________

02 대량의 a large ____________ of

03 경미한 차이 a ____________ difference

04 평균 연령 the ____________ age

05 극한 스포츠 ____________ sports

C 문장

빈칸에 알맞은 말을 넣어 문장을 완성하시오.

01 Can you ____________ the area of this circle?
너는 이 원의 면적을 계산할 수 있니?

02 We will ____________ the cost of living.
우리는 생활비를 줄일 것이다.

03 About a ____________ people visit the island every year.
매년 약 100만 명의 사람들이 그 섬을 방문한다.

04 Most households own ____________ ____________ one car.
대부분의 가구가 적어도 한 대의 차를 소유한다.

내신 대비 어휘 Test

PART 7

01 짝지어진 두 단어의 관계가 나머지와 다른 하나는?

① rotate – rotation
② operate – operation
③ perform – performance
④ convenient – convenience
⑤ devise – device

02 밑줄 친 단어의 의미로 알맞은 것은? DAY 32 시험 POINT

Building schools is highly significant for the country.

① virtual
② important
③ difficult
④ creative
⑤ artificial

03 빈칸 (A)~(E)에 들어갈 말이 잘못 연결된 것은? DAY 31, 32, 34 시험 POINT

- The drama consists ___(A)___ 12 episodes.
- The school is equipped ___(B)___ computer labs.
- The doctor told him to cut ___(C)___ on fats.
- He can't distinguish dreams ___(D)___ reality.
- Almost all homes have ___(E)___ least one TV set.

① (A) – of
② (B) – with
③ (C) – down
④ (D) – with
⑤ (E) – at

04 다음 영영풀이에 해당하는 단어로 알맞은 것은?

a special room or building used for scientific research or experiments

① function
② gravity
③ laboratory
④ launch
⑤ institute

정답 p.299

05 빈칸에 공통으로 들어갈 말로 알맞은 것은? DAY 33 시험 POINT

- I'll ___________ money to buy a new tablet PC.
- You should ___________ the file as a different name.

① save ② install ③ link
④ delete ⑤ access

06 밑줄 친 단어의 쓰임이 어색한 것은? DAY 31, 34, 35 시험 POINT

① Let's look at the problem from another angle.
② Most of the students are making good progress.
③ This electronic dictionary is easy to use.
④ The twins look like, so I always get them confused.
⑤ He was stolen a large quantity of jewelry.

07 (A)와 (B)에서 알맞은 말을 각각 골라 쓰시오. DAY 35 시험 POINT

서술형

Andy and I jog every morning (A) [near / nearly] my house. We have been jogging together for (B) [near / nearly] a year.

(A) ______________ (B) ______________

08 우리말과 일치하도록 〈조건〉에 맞게 문장을 완성하시오. DAY 33 시험 POINT

서술형

위성은 우리가 전세계의 기상 상황을 관찰할 수 있게 해준다.

→ Satellites ____________________________ global weather conditions.

조건 1. enable, us, monitor를 사용할 것
2. 필요시 단어를 알맞은 형태로 바꿀 것

PART 8

DAY 36

경제와 산업

들으며 외우기

어휘력 UPGRADE

01 **economic** [ìːkənάmik]

형 **경제의, 경제와 관련된**

They discussed current **economic** issues.
그들은 현재의 **경제** 문제에 대해 토론했다.

economy 명 경제
economical 형 경제적인, 절약하는

시험 POINT economic vs. economical

네모 안에서 알맞은 것을 고르시오.

| Economic / Economical | conditions are getting worse.
경제 상황이 악화되고 있다.

economic: 경제의
economical: 경제적인

정답 Economic

---

02 **finance** [fáinæns]

명 **1. 금융, 재정** (돈에 관한 일) **2. 자금**

She works in the **Finance** Department.
그녀는 **재무**팀에서 일한다.

⊕ a lack of **finances** 자금의 부족

financial 형 금융의, 재정의

---

03 **growth** [grouθ]

명 **성장, 증가**

The country experienced rapid economic **growth**. 그 나라는 급속한 경제 **성장**을 경험했다.

⊕ population **growth** 인구 증가

grow 동 자라다, 성장하다

---

04 **stable** [stéibl]

형 **안정된, 안정적인**

Our economy is strong and **stable**.
우리 경제는 견고하고 **안정적이다**.

반의어 unstable 불안정한

---

05 **demand** [dimǽnd]

명 **1. 수요 2. 요구** 동 **요구하다**

We cannot meet the **demand** for the product.
우리는 그 상품의 **수요**를 맞출 수 없다.

The **demand** for higher pay was not accepted.
임금 인상의 **요구**가 받아들여지지 않았다.

⊕ **demand** an apology 사과를 요구하다

반의어 supply 공급; 공급하다

어휘력 UPGRADE

06 **supply**
[səplái]

명 공급(량) 동 공급하다, 제공하다

The company **supplies** its product to local shops. 그 회사는 생산품을 지역 상점에 **공급한다**.

⊕ electricity **supply** 전력 공급

---

07 **invest**
[invést]

동 투자하다

I **invested** all my savings in the business.
나는 그 사업에 저축한 돈을 모두 **투자했다**.

investment
명 투자

---

08 **industry**
[índəstri]

명 산업, 공업, 제조업

Tourism is a growing **industry** in many countries.
관광업은 많은 나라에서 성장하는 **산업**이다.

⊕ the film[music] **industry** 영화[음악] 산업

industrial
형 산업의

---

09 **manufacture**
[mæ̀njufǽktʃər]

동 (대량으로) 제조[생산]하다 명 제조, 생산

The computers are **manufactured** in China.
그 컴퓨터들은 중국에서 **생산된다**.

⊕ the **manufacture** of cars 자동차의 생산

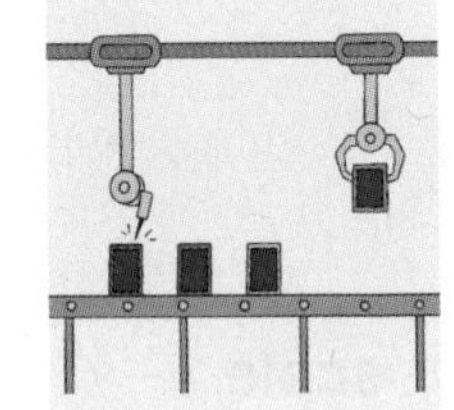

---

10 **steady**
[stédi]

형 꾸준한, 지속적인

The company is making **steady** growth.
그 회사는 **꾸준한** 성장을 이루고 있다.

스테디셀러(steady seller)란 꾸준히 판매되는 상품을 의미해요.

---

11 **output**
[áutput]

명 1. 생산량 2. (컴퓨터의) 출력

The company plans to increase its **output** next year. 그 회사는 내년에 **생산량**을 늘릴 계획이다.

⊕ an **output** device 출력 장치

---

12 **decline**
[dikláin]

명 감소, 하락 동 1. 감소[하락]하다 2. 거절하다

We saw a sharp **decline** in sales this month.
우리는 이번 달에 급격한 판매 **감소**를 보았다.

Oil prices continue to **decline**.
유가가 계속 **하락하고** 있다.

⊕ **decline** an offer 제의를 거절하다

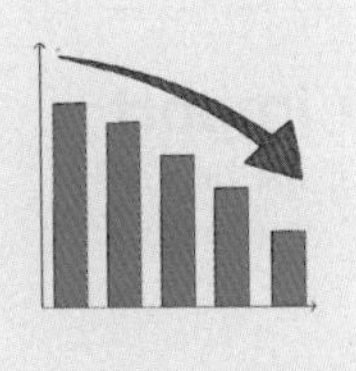

어휘력 UPGRADE

13 **efficient**
[ifíʃənt]

형 **효율적인** (노력·비용 대비 효과가 좋은)

The factory is highly **efficient**.
그 공장은 매우 **효율적이다**.

---

14 **compete**
[kəmpíːt]

동 **경쟁하다, 겨루다**

Companies are **competing** to attract new customers.
기업들은 신규 고객을 끌어들이기 위해 **경쟁하고** 있다.

competition
명 경쟁

---

15 **expand**
[ikspǽnd]

동 **1. 팽창[확대]하다 2.** (사업이) **확장되다**

Water **expands** when it freezes. 물은 얼면 **팽창한다**.

The business began to **expand** abroad.
그 사업은 해외로 **확장되기** 시작했다.

extend(연장하다, 늘리다)와 헷갈리지 않도록 주의하세요.

시험 POINT **expand vs. extend**

네모 안에서 알맞은 것을 고르시오.

The urban population [expanded / extended] rapidly. 도시의 인구가 급속히 팽창했다.

expand: 팽창하다
extend: 연장하다

정답 expanded

---

16 **scale**
[skeil]

명 **1. 규모, 정도 2. 저울, 체중계**

The factory produces cars on a large **scale**.
그 공장은 대**규모**로 자동차를 생산한다.

She stepped on the **scale**.
그녀는 **체중계** 위에 올라섰다.

⊕ on a large[small] **scale** 대규모로[소규모로]

---

17 **export**
동사 [ikspɔ́ːrt]
명사 [ékspɔːrt]

동 **수출하다** 명 **수출(품)**

The products are **exported** all over the world.
그 제품은 전 세계로 **수출된다**.

Our main **export** market is China.
우리의 주요 **수출** 시장은 중국이다.

ex(밖으로)+port(운반하다)

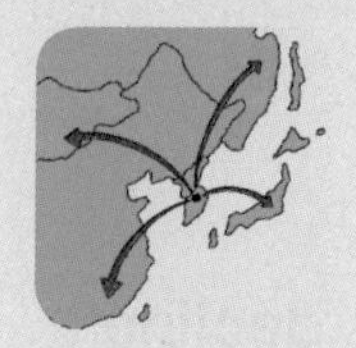

---

18 **import**
동사 [impɔ́ːrt]
명사 [ímpɔːrt]

동 **수입하다** 명 **수입(품)**

Korea **imports** many raw materials.
한국은 많은 원자재를 **수입한다**.

⊕ cheap **imports** 값싼 수입품

반의어 export

im(안으로)+port(운반하다)

어휘력 UPGRADE

19 **overseas** [óuvərsìːz]

부 해외로, 외국으로 형 해외의, 외국의

I'd like to travel **overseas** with my family.
나는 가족들과 함께 **해외로** 여행 가고 싶다.

Our new product is popular in the **overseas** market. 우리의 신제품은 **해외** 시장에서 인기 있다.

유의어 abroad 해외로

---

20 **commerce** [kámərs]

명 상업, 무역

The city was the center of **commerce** in the past. 그 도시는 과거에 **상업**의 중심지였다.

⊕ international **commerce** 국제 무역

commercial 형 상업의, 상업적인

---

21 **agriculture** [ǽgrikʌ̀ltʃər]

명 농업

Agriculture is the country's main industry.
농업은 그 나라의 주요 산업이다.

agricultural 형 농업의

---

22 **cultivate** [kʌ́ltiveit]

동 (땅을) 갈다, 경작하다 (농사를 짓다)

They **cultivated** the land and grew crops.
그들은 땅을 **갈고** 작물을 재배했다.

---

23 **harvest** [háːrvist]

명 1. 수확(기), 추수 2. 수확량, 수확물 동 수확하다

Farmers are busy during the **harvest**.
농부들은 **수확기**에 바쁘다.

When do you **harvest** rice? 언제 쌀을 **수확하나요**?

⊕ a good **harvest** 풍작(수확량이 많음)

교과서 필수 암기 숙어

24 **as far as I know**

내가 아는 한

As far as I know, his investment was successful.
내가 아는 한, 그의 투자는 성공적이었다.

---

25 **take advantage of**

~을 이용하다, ~을 기회로 삼다

They **took advantage of** the warm weather and rich soil.
그들은 따뜻한 날씨와 비옥한 토양**을 이용했다**.

Daily Test

STEP 1 빈틈없이 확인하기

[01-25] 영어는 우리말로, 우리말은 영어로 쓰시오.

01 stable

02 finance

03 growth

04 supply

05 steady

06 decline

07 expand

08 scale

09 export

10 cultivate

11 commerce

12 overseas

13 경제의

14 투자하다

15 산업, 공업, 제조업

16 수요, 요구; 요구하다

17 제조하다; 제조, 생산

18 생산량, 출력

19 효율적인

20 수입하다; 수입(품)

21 경쟁하다, 겨루다

22 농업

23 수확, 추수; 수확하다

24 take advantage of

25 내가 아는 한

정답 p.300

STEP 2 제대로 적용하기

A 단어

주어진 단어를 의미에 맞게 바꿔 쓰시오.

01 finance → 금융의, 재정의 ______________

02 economic → 경제적인, 절약하는 ______________

03 invest → 투자 ______________

04 compete → 경쟁 ______________

05 commerce → 상업의, 상업적인 ______________

B 구

우리말 의미에 맞게 빈칸에 알맞은 말을 쓰시오.

01 영화 산업 the film ______________

02 꾸준한 성장 ______________ growth

03 전력 공급 electricity ______________

04 자동차의 생산 the ______________ of cars

05 대규모로 on a large ______________

C 문장

빈칸에 알맞은 말을 넣어 문장을 완성하시오.

01 Population ______________ is slowing down. 인구 증가가 둔화되고 있다.

02 She always takes ______________ of the sale. 그녀는 항상 세일을 이용한다.

03 A good ______________ is every farmer's wish.
풍요로운 수확은 모든 농부의 소망이다.

04 There isn't much ______________ for this product.
이 상품에 대한 수요가 많지 않다.

05 They will ______________ the business by opening more stores.
그들은 더 많은 가게를 열어서 사업을 확장할 것이다.

DAY 37

정치와 선거

들으며 외우기

어휘력 UPGRADE

01 **political** [pəlítikəl]

형 정치의, 정치적인

He is a powerful **political** leader.
그는 영향력 있는 **정치** 지도자이다.

politics 명 정치

---

02 **democracy** [dimá:krəsi]

명 민주주의, 민주주의 국가

Democracy guarantees the freedom of press.
민주주의는 언론의 자유를 보장한다.

democratic 형 민주주의의

---

03 **liberty** [líbərti]

명 자유

Our personal **liberty** should be protected.
개인의 **자유**는 보호되어야 한다.

시험 POINT liberty의 의미

밑줄 친 단어의 의미로 알맞은 것을 고르시오.

They fought for liberty.

ⓐ honesty ⓑ freedom ⓒ wealth

그들은 자유를 위해 싸웠다.
ⓐ 정직 ⓒ 부

정답 ⓑ

---

04 **policy** [pá:ləsi]

명 정책, 방침

Many people oppose the government's foreign **policies.** 많은 사람들이 정부의 외교 **정책**에 반대한다.

⊕ economic **policy** 경제 정책

---

05 **monitor** [má:nitər]

동 주시하다, 감시하다 명 화면, 모니터

We'll **monitor** the situation closely.
우리는 상황을 면밀히 **주시할** 것이다.

⊕ a computer[TV] **monitor** 컴퓨터[TV] 화면

---

06 **strategy** [strǽtədʒi]

명 전략, 계획

We need a new **strategy** for dealing with the problem.
우리는 그 문제에 대처하기 위한 새로운 **전략**이 필요하다.

strategic 형 전략적인

어휘력 UPGRADE

07 **conflict**
[kά:nflikt]

명 **대립, 갈등, 분쟁**

They're having serious **conflicts** over the budget. 그들은 예산을 두고 심각한 **대립**을 하고 있다.

---

08 **protest**
동사 [prətést]
명사 [próutest]

동 **항의하다, 이의를 제기하다** 명 **항의, 시위**

Many people **protested** against the tax increase.
많은 사람들이 세금 인상에 **항의했다**.

They held a **protest** against the war.
그들은 전쟁에 반대하는 **시위**를 벌였다.

---

09 **participate**
[pɑ:rtísəpeit]

동 **참가하다, 참여하다**

How many people **participated** in the survey?
몇 명의 사람들이 그 설문 조사에 **참여했나요**?

⊕ **participate** in ~에 참가[참여]하다

participation
명 참가, 참여

---

10 **negotiate**
[nigóuʃieit]

동 **협상하다** (각자의 목적에 맞는 결과를 내기 위해 의논하다)

The government won't **negotiate** with terrorists.
정부는 테러리스트들과 **협상하지** 않을 것이다.

negotiation
명 협상

---

11 **crisis**
[kráisis]
복수형 crises

명 **위기**

The country faced a political **crisis** after the war.
그 나라는 전쟁 이후에 정치적 **위기**에 직면했다.

---

12 **support**
[səpɔ́:rt]

동 **1. 지지하다, 지원하다 2. 부양하다** 명 **지지, 지원**

We strongly **support** the policy.
우리는 그 정책을 강력하게 **지지한다**.

He has to **support** his family.
그는 그의 가족을 **부양해야** 한다.

supporter
명 지지자, 후원자

---

13 **involve**
[invάlv]

동 **포함하다, 관련[관여]시키다**

Many scientists are **involved** in the project.
많은 과학자들이 그 프로젝트에 **관여하고** 있다.

⊕ be **involved** in ~에 관련되다

어휘력 UPGRADE

14 **committee** [kəmíti]

명 **위원회** (특정 업무나 의사 결정을 위해 구성된 조직)

The **committee** approved the budget.
위원회는 예산안을 승인했다.

---

15 **pressure** [préʃər]

명 **압력, 압박**

The mayor is under **pressure** to leave office.
시장은 사임하라는 **압력**을 받고 있다.

+ under **pressure** 압력을 받는

press
동 누르다, 압박하다

---

16 **elect** [ilékt]

동 (투표로) **선출하다**

We'll **elect** a new president next year.
우리는 내년에 새 대통령을 **선출할** 것이다.

election 명 선거

시험 POINT **elect의 쓰임**

우리말을 영어로 바르게 옮긴 것을 고르시오.

그녀는 학생회장으로 선출되었다.

ⓐ She elected school president.
ⓑ She was elected school president.

'~로 선출되다'는 수동형인 be elected로 쓴다.

정답 ⓑ

---

17 **candidate** [kǽndideit]

명 **후보자, 지원자**

He is the best **candidate** for the job.
그는 그 일에 최적격 **지원자**이다.

+ a presidential **candidate** 대통령 후보

---

18 **appoint** [əpɔ́int]

동 1. **임명하다, 지명하다** (지위나 임무를 맡기다) 2. (시간·장소를) **정하다**

The president **appointed** her as prime minister.
대통령은 그녀를 국무총리로 **임명했다**.

+ **appoint** a date 날짜를 정하다

appointment
명 임명, 약속

---

19 **campaign** [kæmpéin]

명 (정치·사회·상업적) **운동, 활동, 캠페인**

The election **campaign** went on for two weeks.
선거 **운동**은 2주 동안 계속되었다.

+ an advertising **campaign** 광고 활동

campaign의 g는 묵음이에요.

어휘력 UPGRADE

20 **debate** [dibéit]

명 토론, 논의, 논쟁 동 토론하다, 논의하다

The issue is under **debate**.
그 문제는 **논의** 중이다.

The candidates **debated** various policies.
후보자들은 다양한 정책에 대해 **토론했다**.

---

21 **vote** [vout]

동 투표하다

Everyone over 18 has the right to **vote**.
18세 이상은 누구나 **투표할** 권리가 있다.

⊕ **vote** for[against] ~에 찬성[반대]하는 투표를 하다

voter
명 투표자, 유권자

---

22 **predict** [pridíkt]

동 예상하다, 예측하다

It's difficult to **predict** the election results.
선거 결과를 **예측하는** 것은 어렵다.

prediction
명 예상, 예측

---

23 **vision** [víʒən]

명 1. 미래상, 전망 2. 시력

I agree with the president's **vision** for the future.
나는 미래에 대한 대통령의 **전망**에 동의한다.

⊕ have good[poor] **vision** 시력이 좋다[나쁘다]

교과서 필수 암기 숙어

24 **the majority of**

~의 대다수, ~의 대부분

The majority of the people are against the policy.
국민**의 대다수**가 그 정책에 반대한다.

---

25 **be supposed to**

~하기로 되어 있다, ~할 예정이다

The two leaders **are supposed to** meet in Singapore.
두 지도자는 싱가포르에서 만나**기로 되어 있다**.

Daily Test

STEP 1 빈틈없이 확인하기

[01-25] 영어는 우리말로, 우리말은 영어로 쓰시오.

01	democracy		13	정치의, 정치적인	
02	liberty		14	전략, 계획	
03	monitor		15	정책, 방침	
04	conflict		16	항의하다; 항의, 시위	
05	participate		17	위기	
06	support		18	협상하다	
07	involve		19	(투표로) 선출하다	
08	appoint		20	후보자, 지원자	
09	pressure		21	운동, 활동, 캠페인	
10	committee		22	투표하다	
11	debate		23	예상하다, 예측하다	
12	vision				

24 be supposed to

25 ~의 대다수, ~의 대부분

정답 p.300

STEP 2 제대로 적용하기

A 단어

주어진 단어를 의미에 맞게 바꿔 쓰시오.

01 political → 정치 ______________

02 appoint → 임명, 약속 ______________

03 predict → 예상, 예측 ______________

04 negotiate → 협상 ______________

05 vote → 투표자, 유권자 ______________

B 구

우리말 의미에 맞게 빈칸에 알맞은 말을 쓰시오.

01 경제 정책 economic ______________

02 압력을 받는 under ______________

03 대통령 후보 a presidential ______________

04 시력이 좋다 have good ______________

C 문장

빈칸에 알맞은 말을 넣어 문장을 완성하시오.

01 Koreans have turned ______________ into opportunity.
한국인들은 위기를 기회로 바꾸어 왔다.

02 What countries are ______________ in the war?
어떤 나라들이 그 전쟁에 관련되어 있는가?

03 We'll ______________ in the energy-saving campaign.
우리는 에너지 절약 캠페인에 참여할 것이다.

04 Let's ______________ someone who will work for the people.
국민을 위해 일할 사람을 선출하자.

05 The president is ______________ to give a speech on Wednesday.
대통령이 수요일에 연설을 하기로 되어 있다.

DAY
38 법

들으며 외우기

어휘력 UPGRADE

01 **legal**
[líːgəl]

형 1. 합법적인, 법으로 허용된 2. 법률의

Alcohol is **legal** in most countries.
술은 대부분의 국가에서 **합법적이다**.

They offer free **legal** advice.
그들은 무료 **법률** 상담을 제공한다.

⊕ **legal** rights 법적 권리

---

02 **illegal**
[ilíːgəl]

형 불법의, 위법의

In my country, it is **illegal** to own guns.
우리나라에서 총기를 소지하는 것은 **불법이다**.

반의어 legal 합법적인

---

03 **permit**
[pərmít]
permitted-permitted

동 허가하다 명 허가증

Smoking is not **permitted** inside buildings.
건물 내에서 흡연은 **허용되지** 않는다.

You cannot park here without a **permit**.
허가증이 없으면 여기에 주차할 수 없다.

permission 명 허락, 허가
유의어 allow 허가하다

---

04 **regulate**
[régjuleit]

동 규제하다, 통제하다

We need new rules to **regulate** fake news.
우리는 가짜 뉴스를 **규제할** 새로운 규정들이 필요하다.

regulation 명 규제, 단속

---

05 **equal**
[íːkwəl]

형 1. 평등한, 동등한 2. 동일한, 같은

Everyone is **equal** in the eyes of the law.
모든 사람은 법의 관점에서 **평등하다**.

Add **equal** amounts of water and milk.
동일한 양의 물과 우유를 넣으세요.

equality 명 평등

---

06 **justice**
[dʒʌ́stis]

명 정의, 공정함

They're demanding equal rights and **justice**.
그들은 동등한 권리와 **정의**를 요구하고 있다.

반의어 injustice 부당, 불공평

어휘력 UPGRADE

07 **obey**
[oubéi]

동 **따르다, 복종하다**

Students should **obey** school rules.
학생들은 교칙을 **따라야** 한다.

반의어 disobey 불복종하다

---

08 **principle**
[prínsəpl]

명 **1. 신념 2. 원칙, 원리**

It is against my **principles** to cheat during exams. 시험 중에 부정행위를 하는 것은 내 **신념**에 어긋난다.

⊕ the **principles** of democracy 민주주의의 원칙

시험 POINT principle vs. principal

네모 안에서 알맞은 것을 고르시오.

the basic [principals / principles] of marketing
마케팅의 기본 원리

principal: 주요한
principle: 원칙, 원리

정답 principles

---

09 **violate**
[váiəleit]

동 **1. 위반하다, 어기다 2. 침해하다**

The company **violated** the tax laws.
그 회사는 세법을 **위반했다**.

The media sometimes **violates** people's privacy.
언론은 때때로 사람들의 사생활을 **침해한다**.

violation 명 위반, 침해

---

10 **proof**
[pru:f]

명 **증거(물), 증명**

Do you have any **proof** that she did it?
그녀가 그것을 했다는 **증거**가 있나요?

prove 동 증명하다
유의어 evidence

---

11 **duty**
[djú:ti]

명 **1. 의무 2. 직무, 임무**

Citizens have a **duty** to obey the law.
시민들은 법을 지킬 **의무**가 있다.

They carried out their **duties**.
그들은 그들의 **임무**를 수행했다.

---

12 **trial**
[tráiəl]

명 **1. 재판 2.** (상품·서비스 등의) **시험 사용, 체험**

The **trial** will be open to the public.
그 **재판**은 일반인에게 공개될 것이다.

⊕ a 30-day **trial** period 30일의 체험 기간

어휘력 UPGRADE

13 **accuse**
[əkjúːz]

동 **고발하다, 고소하다**

He was **accused** of stealing money.
그는 돈을 훔친 혐의로 **고발되었다**.

⊕ be **accused** of ~로 고발되다[고소 당하다]

---

14 **identify**
[aidéntifai]

동 (신원 등을) **확인하다, 알아보다**

She was able to **identify** the robber.
그녀는 그 강도를 **알아볼** 수 있었다.

identity
명 신원, 정체

---

15 **confess**
[kənfés]

동 (죄·잘못을) **자백하다**

He **confessed** that he stole the necklace.
그는 자신이 그 목걸이를 훔쳤다고 **자백했다**.

confession
명 자백, 고백

---

16 **witness**
[wítnis]

명 **목격자, 증인** 동 **목격하다**

Peter is the only **witness** to the accident.
Peter는 그 사고의 유일한 **목격자**이다.

⊕ **witness** a murder 살인을 목격하다

---

17 **proper**
[prɑ̀pər]

형 **적절한, 올바른**

Did the police gather evidence in the **proper** way? 경찰은 **올바른** 방법으로 증거를 수집했나요?

---

18 **innocent**
[ínəsənt]

형 **무죄의, 결백한**

We believe that he is **innocent.**
우리는 그가 **결백하다고** 믿는다.

innocence
명 결백, 무죄

---

19 **guilty**
[gílti]

형 **1. 죄책감이 드는 2. 유죄의**

Amy felt **guilty** about lying to her parents.
Amy는 부모님께 거짓말한 것에 대해 **죄책감을** 느꼈다.

There is no proof that he is **guilty.**
그가 **유죄라는** 증거가 없다.

반의어 innocent
무죄의

어휘력 UPGRADE

20 **admit**
[ədmít]
admitted-admitted

동 인정하다, 시인하다 (옳다고 인정하다)

He **admitted** his mistake and apologized.
그는 그의 실수를 **인정하고** 사과했다.

---

21 **punish**
[pʌ́niʃ]

동 처벌하다, 벌주다

They will be **punished** according to the law.
그들은 법에 따라 **처벌될** 것이다.

punishment
명 처벌

---

22 **appeal**
[əpíːl]

명 1. 호소, 간청 2. 매력
동 1. 호소[간청]하다 2. 관심[매력]을 끌다

The police are making an **appeal** for information. 경찰은 제보를 **호소**하고 있다.

The movie **appealed** to all ages.
그 영화는 모든 연령층의 **관심을 끌었다**.

시험 POINT appeal의 의미

밑줄 친 단어의 의미로 알맞은 것을 고르시오.

The charity appealed for help.

ⓐ 호소했다 ⓑ 관심을 끌었다

그 자선 단체는 도움을 호소했다.

정답 ⓐ

---

23 **release**
[rilíːs]

동 1. 석방하다, 풀어 주다 2. 개봉하다, 발매하다

The judge **released** the prisoner.
판사가 죄수를 **풀어 주었다**.

The film will be **released** next month.
그 영화는 다음 달에 **개봉될** 것이다.

교과서 필수 암기 숙어

24 **long for**

~을 열망하다, ~을 갈망하다 (간절히 바라다)

They **longed for** a peaceful world.
그들은 평화로운 세상을 **갈망했다**.

---

25 **regardless of**

~에 상관없이

All people have equal rights **regardless of** race, religion, or gender. 모든 사람은 인종, 종교, 성별**에 관계없이** 동등한 권리를 갖는다.

Daily Test

STEP 1 빈틈없이 확인하기

[01-25] 영어는 우리말로, 우리말은 영어로 쓰시오.

01 permit

02 legal

03 regulate

04 justice

05 principle

06 violate

07 trial

08 guilty

09 proof

10 identify

11 admit

12 appeal

13 불법의, 위법의

14 평등한, 동일한

15 따르다, 복종하다

16 의무, 직무, 임무

17 적절한, 올바른

18 고발하다, 고소하다

19 자백하다

20 목격자; 목격하다

21 무죄의, 결백한

22 석방하다, 개봉하다

23 처벌하다, 벌주다

24 long for

25 ~에 상관없이

정답 p.300

STEP 2 제대로 적용하기

A 단어

주어진 단어를 지시대로 바꿔 쓰시오.

01 legal → 반의어 ____________

02 obey → 반의어 ____________

03 evidence → 유의어 ____________

04 guilty → 반의어 ____________

05 justice → 반의어 ____________

B 구

우리말 의미에 맞게 빈칸에 알맞은 말을 쓰시오.

01 민주주의의 원칙 the ____________ of democracy

02 30일의 체험 기간 a 30-day ____________ period

03 살인을 목격하다 ____________ a murder

04 종교에 관계없이 ____________ of religion

C 문장

보기에서 알맞은 단어를 골라 문장을 완성하시오.

보기	punished	admitted	accused	longed	violated

01 She ____________ that she was wrong. 그녀는 자신이 틀렸음을 인정했다.

02 He was ____________ of stealing a car. 그는 차를 훔친 혐의로 고소 당했다.

03 The law ____________ basic human rights. 그 법은 기본적인 인권을 침해했다.

04 He ____________ for success as a lawyer.
그는 변호사로서 성공을 갈망했다.

05 The students were ____________ according to the school rules.
그 학생들은 교칙에 따라 처벌되었다.

DAY
39 국가와 정부

들으며 외우기

어휘력 UPGRADE

01 **national** [nǽʃənl]

형 1. 국가의, 전국적인 2. 국립의

Children's Day is a **national** holiday.
어린이날은 **국가의** 공휴일이다.

+ a **national** park 국립공원

nation 명 국가, 국민

02 **government** [gʌ́vərnmənt]

명 정부

The **government** responded quickly to the disaster. **정부**는 재난에 빠르게 대응했다.

govern 동 통치하다, 다스리다

03 **republic** [ripʌ́blik]

명 공화국 (주권이 국민에게 있는 나라)

He was the president of the Czech **Republic**.
그는 체코 **공화국**의 대통령이었다.

+ the **Republic** of Korea 대한민국

04 **authority** [əθɔ́:rəti]

명 권한, 지휘권

I don't have the **authority** to change the schedule. 나는 일정을 변경할 **권한**을 갖고 있지 않다.

authorize 동 권한을 부여하다

05 **domestic** [dəméstik]

형 1. 국내의 2. 가정의

Passengers on **domestic** flights don't have to carry a passport.
국내선 탑승객은 여권을 소지할 필요가 없다.

+ **domestic** life 가정 생활

반의어 foreign 외국의

06 **civil** [sívl]

형 시민의, 민간의

They continued to fight for **civil** rights.
그들은 **시민의** 권리를 위한 투쟁을 계속했다.

어휘력 UPGRADE

07 **independent** [indipéndənt]

형 **독립된, 독립적인** (남에게 의존하거나 속하지 않은)

The country became **independent** from France.
그 나라는 프랑스로부터 **독립되었다**.

independence
명 독립, 자립

반의어 dependent
의존적인

---

08 **ethnic** [éθnik]

형 **민족의**

Ethnic conflict is the biggest issue in the country. **민족** 분쟁은 그 나라의 가장 큰 문제이다.

---

09 **official** [əfíʃəl]

형 **공식적인, 공적인** 명 (고위) **공무원, 관리**

The **official** announcement will be made tomorrow. **공식적인** 발표는 내일 있을 것이다.

She is a government **official.**
그녀는 정부 **고위 공무원**이다.

officially
부 공식적으로

---

10 **determine** [ditə́ːrmin]

동 **1. 알아내다 2. 결정하다**

It's difficult to **determine** the cause of the accident. 그 사고의 원인을 **알아내기는** 어렵다.

The government **determined** that taxes should be raised. 정부는 세금이 인상되어야 한다고 **결정했다**.

determination
명 결정, 결의

시험 POINT **determine의 의미**

밑줄 친 단어의 의미로 알맞은 것을 고르시오.

They determined to leave immediately.

ⓐ found out ⓑ made a decision

그들은 즉시 떠나기로 결정했다.
ⓐ 발견했다, 알아냈다

정답 ⓑ

---

11 **president** [prézidənt]

명 **1. 대통령 2.** (조직·단체의) **장**

Who is the current **president** of the United States? 미국의 현 **대통령**은 누구인가요?

My friend became the school **president**.
내 친구가 학생**회장**이 되었다.

'부통령, 부사장'은 vice president라고 해요.

---

12 **mayor** [méiər]

명 **시장** (시의 책임자)

She became the first female **mayor** of London.
그녀는 런던 최초의 여성 **시장**이 되었다.

어휘력 UPGRADE

13 **former**
[fɔ́ːrmər]

형 **이전의, 과거의**

She was an advisor to the **former** president.
그녀는 **전** 대통령의 고문이었다.

14 **unify**
[júːnifai]

동 **통합하다, 통일하다**

Many leaders have tried to **unify** the country.
많은 지도자들이 그 나라를 **통합하려고** 노력해왔다.

unification
명 통합, 통일

15 **council**
[káunsəl]

명 (시·지방 등의) **의회, 협의회**

The city **council** decided to build a new city hall.
시 **의회**는 새 시청사를 짓기로 결정했다.

⊕ local **council** 지방 의회

시험 POINT **council vs. counsel**

네모 안에서 알맞은 것을 고르시오.

Mr. May is a member of the [council / counsel].
May 씨는 의회의 구성원이다.

council: 의회
counsel: 상담하다; 조언

정답 council

16 **budget**
[bʌ́dʒit]

명 **예산**(수입 및 지출 계획)**, 비용**

The government will increase the **budget** for education. 정부는 교육 **예산**을 늘릴 것이다.

⊕ an annual **budget** 연간 예산

17 **restrict**
[ristríkt]

동 **제한하다, 통제하다**

The city **restricted** the sale of alcohol.
그 시는 주류의 판매를 **제한했다**.

restriction
명 제한, 통제

18 **object**
명사 [áːbdʒikt]
동사 [əbdʒékt]

명 **1. 물건, 물체** 2. (연구·관심의) **대상** 동 **반대하다**

Wires are long, thin metal **objects**.
전깃줄은 길고 가는 금속 **물체**이다.

The council strongly **objected** to the decision.
의회는 그 결정에 강력하게 **반대했다**.

⊕ an **object** of study 연구 대상

어휘력 UPGRADE

secure 형 안전한

19 **security**
[sikjú:ərəti]

명 보안, 안보 (사회의 안녕과 질서를 유지함)

For **security** reasons, this area is closed to the public. **보안**상의 이유로 이 지역은 일반인에게 공개되지 않는다.

⊕ national **security** 국가 안보

20 **soldier**
[sóuldʒər]

명 군인, 병사

More than 1,000 **soldiers** died in the war.
천 명이 넘는 **군인들**이 그 전쟁에서 사망했다.

21 **border**
[bɔ́:rdər]

명 국경(선), 경계

You'll need a passport to cross the **border**.
국경을 건너려면 여권이 필요할 것이다.

⊕ cross the **border** 국경을 넘다

22 **command**
[kəmǽnd]

명 명령, 지휘 동 명령하다, 지휘하다

He ignored the police officer's **command** to stop. 그는 정지하라는 경찰관의 **명령**을 무시했다.

She **commanded** us to leave right away.
그녀는 우리에게 당장 떠나라고 **명령했다**.

23 **mission**
[míʃən]

명 임무 (맡겨진 중요한 일)

Our **mission** is to work for a better world.
우리의 **임무**는 더 나은 세상을 위해 일하는 것이다.

⊕ **mission** impossible 불가능한 임무

교과서 필수 암기 숙어

24 **in favor of**

~에 찬성하여, ~을 지지하여

Most people in town are **in favor of** building a new road.
대부분의 마을 사람들이 새로운 도로 건설**에 찬성한다**.

25 **be allowed to**

~하는 것이 허용되다

Every citizen **is allowed to** use the public library.
모든 시민은 공공 도서관을 이용하는 **것이 허용된다**.

Daily Test

STEP 1 빈틈없이 확인하기

[01-25] 영어는 우리말로, 우리말은 영어로 쓰시오.

01 national		13 정부	
02 republic		14 독립된, 독립적인	
03 authority		15 시민의, 민간의	
04 domestic		16 대통령, 장	
05 ethnic		17 공식적인; 공무원, 관리	
06 determine		18 예산, 경비	
07 mayor		19 물체, 대상; 반대하다	
08 former		20 의회, 협의회	
09 unify		21 군인, 병사	
10 restrict		22 국경(선), 경계	
11 command		23 임무	
12 security			

24 be allowed to

25 ~에 찬성[지지]하여

정답 p.301

STEP 2 제대로 적용하기

A 단어

주어진 단어를 의미에 맞게 바꿔 쓰시오.

01 authority → 권한을 부여하다 ______________

02 independent → 독립, 자립 ______________

03 determine → 결정, 결의 ______________

04 unify → 통합, 통일 ______________

05 security → 안전한 ______________

B 구

우리말 의미에 맞게 빈칸에 알맞은 말을 쓰시오.

01 국립공원 a ______________ park

02 서울 시장 the ______________ of Seoul

03 지방 의회 local ______________

04 연간 예산 an annual ______________

05 불가능한 임무 ______________ impossible

C 문장

빈칸에 알맞은 말을 넣어 문장을 완성하시오.

01 I'm in ______________ of his opinion. 나는 그의 의견에 찬성한다.

02 They live near the Canadian ______________. 그들은 캐나다 국경 근처에 산다.

03 The President made an ______________ visit to Japan in May.
대통령은 5월에 일본을 공식 방문했다.

04 Many people ______________ to the building of the new airport.
많은 사람들이 신공항 건설에 반대한다.

05 Citizens weren't ______________ to go out after 10 p.m.
시민들은 밤 10시 이후에 외출하는 것이 허용되지 않았다.

DAY 40 국제 관계

어휘력 UPGRADE

01 **foreign** [fɔ́:rin]

형 외국의, 해외의

The country depends on **foreign** aid.
그 나라는 **외국의** 원조에 의존하고 있다.

⊕ a **foreign** language 외국어

foreigner 명 외국인
foreign의 g는 묵음이에요.

---

02 **international** [ìntərnǽʃənəl]

형 국제적인, 국가 간의

It's important to preserve **international** peace.
국제적인 평화를 유지하는 것은 중요하다.

---

03 **organization** [ɔ̀:rgənizéiʃən]

명 조직, 기구, 단체

Greenpeace is a global environmental **organization.** 그린피스는 국제적인 환경 **단체**이다.

organize 동 조직하다, 구성하다

---

04 **union** [jú:njən]

명 1. 연합, 연맹 2. (노동) 조합 — 노동 조건 개선을 목적으로 하는 단체

The European **Union** has more than 25 member states. 유럽 **연합**은 25개국 이상의 회원국을 가지고 있다.

⊕ join the **union** 노조에 가입하다

European Union(유럽 연합)을 줄여서 EU라고 해요.

---

05 **aware** [əwɛ́ər]

형 인식하고 있는, 알고 있는

Many people are **aware** of the dangers of global warming.
많은 사람들이 지구 온난화의 위험성을 **인식하고 있다**.

⊕ be **aware** of ~을 인식하다, ~을 알다

awareness 명 인식, 지각

---

06 **racial** [réiʃəl]

형 인종[민족] 간의, 인종적인

The **racial** conflict in the region has become serious. 그 지역의 **인종 간** 갈등이 심각해졌다.

race 명 인종

어휘력 UPGRADE

07 **situation**
[sìtʃuéiʃən]

명 **상황, 처지**

The global economic **situation** is getting worse.
전세계의 경제 **상황**이 악화되고 있다.

⊕ a political **situation** 정치적 상황

08 **found**
[faund]
founded-founded

동 **설립하다, 창립하다**

He **founded** a school in Nepal 10 years ago.
그는 10년 전에 네팔에 학교를 **설립했다**.

유의어 establish

시험 POINT **found의 과거형**

네모 안에서 알맞은 것을 고르시오.

The European Union was [found / founded] in 1993.
유럽 연합은 1993년에 창설되었다.

find의 과거·과거분사형인 found와 구분해야 한다.

정답 founded

09 **aid**
[eid]

명 **원조, 지원** (원조: 물질적으로 도와줌)

Food **aid** will be sent to the country.
그 나라에 식량 **원조**가 보내질 것이다.

⊕ medical **aid** 의료 지원

구급상자에 쓰여 있는 first aid라는 말은 '응급처치'라는 의미예요.

10 **unite**
[juːnáit]

동 **연합하다, 단결하다[단결시키다]**

The international community must **unite** against the new virus.
국제 사회는 새로운 바이러스에 맞서 **단결해야** 한다.

11 **tension**
[ténʃən]

명 **긴장 (상태), 갈등**

The terror attack has increased **tension** between the two countries.
그 테러 공격은 두 나라 사이의 **긴장**을 고조시켰다.

12 **declare**
[diklέər]

동 **선언하다, 선포하다**

Germany **declared** war on France on August 3, 1914. 독일은 1914년 8월 3일에 프랑스에 대한 전쟁을 **선포했다**.

어휘력 UPGRADE

13 **invade**
[invéid]

동 **침략하다, 침입하다**

The Romans **invaded** many countries.
로마인들은 많은 나라를 **침략했다**.

invasion
명 침략, 침입

---

14 **enemy**
[énəmi]

명 **적, 적국, 적군**

We must prepare to fight the **enemy**.
우리는 **적**과 싸울 준비를 해야 한다.

---

15 **force**
[fɔːrs]

명 **1. 무력, 군대** (군사적인 힘) **2. 힘, 물리력** 동 **강요하다**

The government allowed the use of **force**.
정부는 **무력** 사용을 허용했다.

She was **forced** to leave the country.
그녀는 **강제로** 그 나라를 떠나야만 **했다**.

⊕ be **forced** to 억지로[강제로] ~하게 되다

물체를 움직이게 하는 물리적 힘도 force라고 해요.

---

16 **threat**
[θret]

명 **위협, 협박**

The country is a great **threat** to world peace.
그 나라는 세계 평화에 커다란 **위협**이다.

threaten
동 협박하다, 위협하다

---

17 **military**
[míliteri]

형 **군사의, 군대의**

We may take **military** action if necessary.
우리는 필요시에 **군사적** 조치를 취할 수도 있다.

⊕ **military** force 군사력

---

18 **defeat**
[difíːt]

동 **패배시키다, 물리치다** 명 **패배**

We are ready to **defeat** our enemies.
우리는 적을 **물리칠** 준비가 되어 있다.

It can be hard to accept **defeat**.
패배를 받아들이는 것은 어려울 수 있다.

defeat는 '패배시키다'의 의미이므로 '지다, 패배하다'의 의미를 나타낼 때는 be defeated로 써요.

---

19 **battle**
[bǽtl]

명 **전투, 싸움**

Napoleon was defeated at the **Battle** of Waterloo in 1815.
나폴레옹은 1815년 워터루 **전투**에서 패배했다.

어휘력 UPGRADE

20 **weapon** [wépən]

명 **무기, 병기**

Drop your **weapons** and come out!
무기를 버리고 나와라!

---

21 **bomb** [bɑm]

명 **폭탄, 폭발물**

The plane dropped **bombs** on the city.
비행기는 그 도시에 **폭탄**을 떨어뜨렸다.

bomb의 두 번째 b는 묵음이니 발음에 주의하세요.

---

22 **explode** [iksplóud]

동 **터지다[터뜨리다], 폭발하다[폭파시키다]**

A bomb **exploded** in a crowded airport.
폭탄이 혼잡한 공항에서 **폭발했다**.

explosion
명 폭발, 폭파

---

23 **nuclear** [njú:kliər]

형 **원자력의, 핵무기의**

A **nuclear** weapon can destroy a whole city.
핵무기는 도시 전체를 파괴할 수 있다.

⊕ a **nuclear** bomb 핵폭탄

교과서 필수 암기 숙어

24 **take part in**

~에 참여하다, ~에 참가하다

We'll **take part in** the "Save the Earth" campaign.
우리는 '지구 살리기' 캠페인**에 참가할** 것이다.

유의어 participate in

---

25 **break out**

(화재·전쟁·질병 등이) **발생하다, 일어나다**

The First World War **broke out** in 1914.
1차 세계대전은 1914년에 **일어났다**.

시험 POINT break out의 의미

밑줄 친 부분의 의미로 알맞은 것을 고르시오.

A fire broke out during the night.

ⓐ suddenly started
ⓑ frequently happened
ⓒ completely ended

밤사이에 화재가 발생했다.
ⓐ 갑자기 시작되었다
ⓑ 자주 발생했다
ⓒ 완전히 끝났다

정답 ⓐ

Daily Test

STEP 1 빈틈없이 확인하기

[01-25] 영어는 우리말로, 우리말은 영어로 쓰시오.

01 racial

02 union

03 aware

04 situation

05 aid

06 unite

07 found

08 defeat

09 tension

10 force

11 bomb

12 nuclear

13 외국의, 해외의

14 국제적인, 국가 간의

15 조직, 기구, 단체

16 위협, 협박

17 선언하다, 선포하다

18 침략하다, 침입하다

19 군사의, 군대의

20 전투, 싸움

21 적, 적국, 적군

22 터지다, 폭발하다

23 무기, 병기

24 take part in

25 (전쟁 등이) 발생하다, 일어나다

정답 p.301

STEP 2 제대로 적용하기

A 단어

주어진 단어를 의미에 맞게 바꿔 쓰시오.

01 race → 인종 간의 ____________

02 foreign → 외국인 ____________

03 invade → 침략, 침입 ____________

04 threat → 협박하다 ____________

05 explode → 폭발, 폭파 ____________

B 구

우리말 의미에 맞게 빈칸에 알맞은 말을 쓰시오.

01 노조에 가입하다 join the ____________

02 정치적 상황 a political ____________

03 의료 지원 medical ____________

04 군사력 ____________ force

05 핵폭탄 a ____________ bomb

C 문장

보기 에서 알맞은 단어를 골라 문장을 완성하시오.

보기	defeat	aware	threat	broke	organization

01 He works for an international ____________ for children.

02 We were ____________ that something was wrong.

03 Nuclear weapons are a great ____________ to world peace.

04 We must fight until we ____________ the enemy.

05 The Korean War ____________ out in 1950.

내신 대비

어휘 Test

PART 8

01

짝지어진 두 단어의 관계가 〈보기〉와 다른 것은?

보기 grow – growth

① invest – investment
② equal – equality
③ press – pressure
④ compete – competition
⑤ negotiate – negotiation

02

빈칸에 공통으로 들어갈 말로 알맞은 것은?

- This report shows a dark ___________ of our economy.
- She has poor ___________, so she has to wear glasses.

① crisis
② proof
③ vision
④ scale
⑤ output

03

밑줄 친 부분과 바꿔 쓸 수 있는 것은?

I object to your opinion.

① oppose
② trust
③ evaluate
④ support
⑤ include

04

빈칸에 들어갈 말이 순서대로 바르게 짝지어진 것은?

- Don't take advantage ___________ others' weakness.
- They are longing ___________ fine weather.
- She is going to take part ___________ the meeting.

① at – for – by
② of – to – in
③ of – for – at
④ of – for – in
⑤ for – with – at

05 밑줄 친 단어의 의미가 올바르지 않은 것은?

DAY 38, 39, 40 시험 POINT

① The actress has a mysterious appeal. (매력)
② She determined to skip dinner to lose weight. (결심했다)
③ His family founded the school in 1893. (발견했다)
④ I'm in favor of your suggestion. (~에 찬성하여)
⑤ A big fire broke out in the neighborhood last night. (발생했다)

06 밑줄 친 단어의 쓰임이 어색한 것은?

DAY 36, 38, 39 시험 POINT

① He insisted that he was innocent.
② The population expanded rapidly in the 1960s.
③ We shouldn't forget the basic principles of laws.
④ Economical growth is slowing down.
⑤ The council will adopt the new policy.

07 다음 영영풀이를 참고하여 빈칸에 들어갈 단어를 주어진 철자로 시작하여 쓰시오.

서술형

to say that something will happen in the future

Scientists are searching for ways to p__________ earthquakes.

08 우리말과 일치하도록 〈조건〉에 맞게 문장을 완성하시오.

DAY 37 시험 POINT

서술형

유권자의 대다수가 그 정책을 지지한다.

→ ______________________________ support the policy.

조건 1. majority, voters를 사용할 것
2. 필요시 단어를 추가할 것

ANSWERS

PART 1

DAY 01 기분과 감정 pp.14~15

STEP 1

01 감정 02 기쁨, 즐거움 03 놀라게 하다
04 부끄러운, 창피한 05 망설이다, 주저하다
06 짜증나게 하다 07 질투하는, 시기하는
08 좌절시키다 09 동정, 연민 10 겁먹게 만들다
11 기분 상하게 하다 12 절망적인, 자포자기한
13 mood 14 satisfy 15 relieve
16 anxious 17 dislike 18 temper
19 embarrass 20 depressed 21 panic
22 miserable 23 complaint
24 ~에 싫증이 나다, ~에 질리다
25 to be honest

STEP 2

A 01 satisfied 02 annoyed
03 emotional 04 offensive
05 anxiety

B 01 relieve 02 dislikes
03 panic 04 complaint

C 01 honest 02 temper
03 ashamed 04 hesitate
05 frighten

해석

C 01 솔직히 말하면, 그 역사 수업은 너무 지루했다.
02 그녀는 성질을 참으려고 노력하는 중이다.
03 내가 그런 어리석은 실수를 했다는 것이 창피하다.
04 주저하지 말고 질문하세요.
05 나는 거미를 싫어한다. 그것은 나를 정말 겁먹게 만든다.

DAY 02 대화와 소통 pp.20~21

STEP 1

01 교류하다, 소통하다 02 말하다, 언급하다
03 대답[응답]하다 04 통역하다, 해석하다
05 수단, 방법 06 나타내다, 가리키다
07 언급(하다), 논평(하다) 08 묻다, 질문하다
09 요청(하다), 신청(하다) 10 거절[거부]하다
11 사실은, 정말 12 게다가, 더욱이
13 communicate 14 interrupt
15 emphasize 16 translate 17 beg
18 avoid 19 deny 20 misunderstand
21 frankly 22 pause 23 exactly
24 거리낌 없이[마음 놓고] ~하다 25 on purpose

STEP 2

A 01 response 02 emphasis
03 translator 04 beggar
05 refusal

B 01 means 02 interpret
03 request 04 avoid
05 frankly

C 01 communicate 02 interrupt
03 pause 04 translate
05 indeed

해석

C 01 Judy와 나는 보통 문자 메시지로 연락을 주고받는다.
02 내가 통화하고 있을 때 나를 방해하지 마.
03 그는 한참의 정적 뒤에 내 질문에 대답했다.
04 Mark는 내가 그 문장을 프랑스어로 번역하는 것을 도와주었다.
05 당신의 할머니의 부고 소식을 듣게 되어 매우 유감입니다.

DAY 03 성격과 태도 pp.26~27

STEP 1

01 행동하다 02 겸손한 03 활기찬
04 자신감 있는, 확신하는 05 뛰어난, 두드러진
06 야심 있는, 야망에 찬 07 세심한, 예민한, 민감한 08 무시하다 09 거만한, 오만한
10 무관심한, 무심한 11 탐욕스러운, 욕심 많은
12 수동적인, 소극적인 13 generous
14 impression 15 sincere 16 diligent
17 charm 18 bold 19 noble
20 careless 21 selfish 22 negative
23 pretend 24 기꺼이 ~하다
25 look up to

STEP 2

A 01 behavior 02 ambitious
03 confidence 04 generosity
05 indifference

B 01 impression 02 careless
03 passive 04 selfish
05 noble

C 01 arrogant 02 energetic
03 diligent 04 look up

DAY 04 신체와 동작 pp.32~33

STEP 1

01 외모, 겉모습 02 호흡하다, 숨을 쉬다
03 장애가 있는 04 세포 05 (안색이) 창백한
06 탈진한, 기진맥진한 07 돌리다, 구부리다
08 재채기하다; 재채기 09 빤히 쳐다보다, 응시하다 10 붙잡다, 움켜쥐다 11 휘파람을 불다; 호루라기 12 닫다, 닫히다 13 physical
14 sense 15 sight 16 advantage
17 mental 18 depression 19 forehead
20 react 21 press 22 slip 23 tap
24 팔짱을 끼고 25 out of sight

STEP 2

A 01 appearance 02 reaction
03 pressure 04 disability

B 01 whistle 02 sight
03 cell 04 depression
05 mental

C 01 breathe 02 pale
03 stare 04 shut
05 crossed

해석

C 01 눈을 감고 깊게 호흡해라.
02 귀신을 봤을 때 그녀는 창백해졌다.
03 나를 그렇게 쳐다보지 마라.
04 문을 조용히 닫아주세요.
05 Jenny는 팔짱을 끼고 의자에 앉았다.

DAY 05 교류와 관계 pp.38~39

STEP 1

01 격려하다, 용기를 주다 02 (흥미를) 끌다, 끌어들이다 03 동행하다, 함께 가다
04 배열[정리]하다, 준비하다, 정하다
05 우연히 만나다, (어려운 상황에) 부딪히다
06 고마워하는, 감사하는 07 희생(하다)
08 사과하다, 사죄하다 09 방해하다
10 속이다, 기만하다 11 꾸짖다, 혼내다
12 맞이하다, 인사하다 13 contact
14 exchange 15 invitation
16 reputation 17 praise 18 assist
19 disappoint 20 insult 21 faith
22 hug 23 recognize 24 행운을 빌다
25 in return

STEP 2

A 01 attractive 02 faithful
03 assistance 04 apology
05 disappointment

B 01 contact 02 exchange
03 invitation 04 encourage
05 crossed

C 01 accompany 02 praise
03 grateful 04 in return
05 apologize

내신 대비 어휘 Test

pp. 40~41

01 ③ 02 ① 03 ⑤ 04 ② 05 ②
06 ③ 07 (1) pleasure (2) invitation
(3) sensitive 08 avoid eating too much

해석

01 ① 주의 깊은 – 부주의한
② 정신의 – 신체의
③ 겁먹게 하다 – 겁먹게 하다
④ 긍정적인 – 부정적인
⑤ 격려하다 – 낙담시키다

02 • 'Amor'는 스페인어로 '사랑'을 의미한다.
• 이메일은 의사소통의 효과적인 수단이다.
① 의미하다; 수단 ② 반응하다
③ 매력; 매료시키다 ④ 요청; 요청하다
⑤ 언급하다

03 당신이 무언가를 잘못해서 누군가에게 미안하다고 이야기하다
① 모욕하다 ② 방해하다 ③ 배열하다
④ 속이다 ⑤ 사과하다

04 ① 나는 이기적인 사람을 싫어해.
② 나는 고의로 그 게임에서 졌어.
③ 그 남자아이는 자신의 아버지를 존경한다.
④ 그 사고는 지역 신문에 보도되었다.
⑤ 우리는 긴 여정 끝에 모두 기진맥진했다.

05 그녀는 혼자 여행하는 것에 대해 걱정한다.
① 자랑스러운 ② 걱정하는 ③ 좌절한
④ 부끄러운 ⑤ 질투하는

06 ① Judy는 다른 사람에게 무관심하다.
② 나는 네가 말한 것을 정확히 기억한다.
③ 눈을 감고 깊게 호흡해라. (→ breathe)
④ 우리는 우리의 성공을 확신한다.
⑤ 나는 형편없는 서비스에 대해 항의하고 싶다.

07 (1) 당신을 만나서 기뻐요.
(2) 나는 그의 초대를 정중하게 거절했다.
(3) 아기의 피부는 매우 민감하다.

PART 2

DAY 06 일상과 의복

pp. 48~49

STEP 1

01 가정(의), 가구 02 정돈된, 단정한
03 일, 허드렛일 04 그릇, 용기, (화물용) 컨테이너
05 얼룩 06 베개 07 평상시의
08 유행하는, 유행을 따르는
09 수리[수선]하다, 고치다 10 실 11 고무
12 방수의 13 routine 14 balance
15 decorate 16 responsible 17 switch
18 spill 19 deliver 20 suitable
21 fabric 22 leather 23 dye
24 구별하다, 분간하다 25 dress up

STEP 2

A 01 decoration 02 delivery
03 fashionable

B 01 household 02 container
03 thread 04 dye
05 waterproof 06 casual

C 01 responsible 02 Switch
03 suitable 04 balance
05 apart

해석

C 01 부모들은 아이들의 행동에 대한 책임이 있다.
02 방을 나갈 때는 불을 꺼라.
03 이 공원은 피크닉 하기에 적당한 장소이다.
04 그녀는 일과 가족 간의 균형을 유지하려고 노력하는 중이다.
05 그 쌍둥이들을 구별하기는 매우 어렵다.

DAY 07 음식 pp. 54~55

STEP 1

01 영양 (섭취) 02 거르다, 빼먹다, 깡충깡충 뛰다
03 대신에 04 (맛이) 쓴 05 끔찍한, 지독한
06 반죽; 붙이다 07 꽉 쥐다, 짜내다
08 혜택, 이득 09 재료, 성분
10 인스턴트의, 즉시의 11 썩은, 부패한
12 남은 음식 13 lack 14 digest
15 thirst 16 sour 17 contain
18 flavor 19 variety 20 local
21 raw 22 source 23 prefer
24 ~에 대해 걱정[염려]하다 25 go on a diet

STEP 2

A 01 digestion 02 thirsty
03 awfully 04 benefit
05 rotten

B 01 lack 02 source
03 local 04 instant
05 raw

C 01 instead 02 variety
03 prefer 04 diet
05 concerned

해석

C 01 네가 회의에 참석할 수 없다면, 내가 대신 갈게.
02 우리는 여러 가지 꽃을 정원에 심었다.
03 나는 디저트로 과일보다 케이크를 선호한다.
04 그는 체중을 줄이기 위해 다이어트를 하기로 결심했다.
05 그녀는 시험 결과에 대해 걱정하고 있다.

DAY 08 질병과 의료 pp. 60~61

STEP 1

01 병, 아픔 02 필요한, 필수적인
03 목적, 목표 04 심각한, 심한 05 상담하다
06 의식이 있는, 알고 있는 07 감염, 전염(병)
08 면역력이 있는 09 치료(법); 치료하다
10 다행히도 11 보험 12 약국 13 medical
14 condition 15 symptom
16 treatment 17 risk 18 harm
19 ease 20 wound 21 recover
22 warn 23 patient 24 믿다, 의지하다
25 as ~ as possible

STEP 2

A 01 consultant 02 harmful
03 recovery 04 patience
05 risky

B 01 medical 02 symptom
03 insurance 04 infection
05 ease

C 01 wound 02 possible
03 necessary 04 aim
05 warn

해석

C 01 그는 다리에 심각한 부상을 입었다.
02 가능한 한 빨리 저에게 전화해 주세요.
03 물은 생존에 필수적이다.
04 그의 삶의 목표는 돈을 많이 버는 것이다.
05 나는 그에게 경고하려 했지만, 그는 듣지 않았다.

DAY 09 돈과 소비 pp.66~67

STEP 1

01 소비자 02 합리적인, (가격이) 적당한
03 필수품 04 소유하다, 가지고 있다
05 재산, 소유물 06 구입(하다), 구매(하다)
07 꼬리표 08 저축(한 돈), 절약
09 가치; 중요하게 여기다 10 소득, 수입
11 다양성, 범위; (범위가) 걸쳐 있다
12 액수, 금액, 합계 13 expense 14 refund
15 guarantee 16 option 17 debt
18 select 19 luxury 20 account
21 credit 22 allowance 23 owe
24 ~할 여유가 없다, ~할 형편이 아니다
25 pay back

STEP 2

A 01 expensive 02 reasonable
03 valuable 04 optional
05 necessity

B 01 account 02 property
03 luxury 04 tag
05 guarantee

C 01 refund 02 purchase
03 range 04 allowance
05 afford

해석

C 01 아직 그것을 사용하지 않았기 때문에 당신은 환불을 받을 수 있습니다.
02 당신은 온라인으로 티켓을 구매할 수 있습니다.
03 그 상점은 다양한 가정 용품을 판다.
04 나는 부모님으로부터 하루에 5달러의 용돈을 받는다.
05 그는 새 컴퓨터를 살 형편이 되지 않는다.

DAY 10 회사 pp.72~73

STEP 1

01 전문적인, 직업의 02 유능한, ~을 할 수 있는
03 안정된, 안전한 04 개선하다, 향상시키다
05 (일을) 맡기다, 할당하다 06 일시적인, 임시의
07 운영[관리]하다, 해내다 08 결과
09 실수, 오류 10 부서, 과
11 필요로 하다, 요구하다 12 노동 13 expert
14 firm 15 employ 16 colleague
17 quality 18 retire 19 attach
20 reward 21 establish 22 cooperate
23 document 24 ~에 지원[신청]하다
25 generally speaking

STEP 2

A 01 professional 02 temporary
03 establish 04 employ

B 01 attach 02 expert
03 firm 04 department
05 quality

C 01 capable 02 retired
03 employ 04 required
05 apply

해석

C 01 어떤 물고기들은 장거리를 수영할 수 있다.
02 그녀는 3년 전에 은퇴했다.
03 그 회사는 몇 명의 사람들을 고용하니?
04 모든 방문객들은 핸드폰 전원을 끄도록 요구된다.
05 여권은 어디에서 신청할 수 있나요?

내신 대비 어휘 Test

pp. 74~75

01 ② 02 ④ 03 ⑤ 04 ⑤ 05 ⑤
06 ④ 07 (p)atient
08 are required to attend

해석

01 ① 배달하다 – 배달 ② 갈증 – 목이 마른
③ 치료하다, 대우하다 – 치료, 대우
④ 선호하다 – 선호 ⑤ 소화하다 – 소화

02 • 불을 끄기 위해 스위치를 눌러라.
• 그는 높은 임금을 위해 직업을 바꾸기로 결정했다.
① 꼬리표 ② 선택 ③ 범위
④ 스위치; 바꾸다 ⑤ 균형; 균형을 잡다

03 그 회사의 주된 목표는 유럽의 판매량을 늘리는 것이다.
① 계획 ② 부족 ③ 수입 ④ 위험 ⑤ 목표

04 • 그녀는 곧 질병으로부터 회복할 것이다.
• 나는 면보다 밥을 선호한다.
• 이 곳이 여권을 신청하는 장소인가요?

05 ① 그 쌍둥이들을 구별하기는 쉽지 않다.
② 그 문제에 대해서는 나를 믿어도 된다.
③ 일주일 이내에 돈을 갚을게.
④ 대체로, 여자들이 남자들보다 오래 산다.
⑤ 그녀는 그녀의 가족에 대해 걱정한다.

06 ① 그는 그 시험을 쉽게 통과했다.
② 그녀는 그 비싼 가방을 살 형편이 안된다.
③ 그는 작년에 회사에서 은퇴했다.
④ 그녀는 이 일에 대한 경험을 가지고 있다.
(→ possesses)
⑤ 그는 영어를 가르칠 수 있다.

07 • 병원에서 의료 서비스를 받는 사람
• 오랜 시간 동안 기다릴 수 있는

PART 3

DAY 11 인생

pp. 82~83

STEP 1

01 기회 02 보통의, 평범한 03 직업
04 필수적인, 중요한 05 측면 06 극복하다
07 배경 08 입양하다, 채택하다
09 닮다, 비슷하다 10 짐, 부담(을 주다)
11 장례식 12 운명 13 wisdom
14 fortune 15 success 16 struggle
17 frustrate 18 challenge 19 relative
20 pregnant 21 mature 22 bury
23 failure 24 진심으로, 정성을 다해
25 put off

STEP 2

A 01 success 02 destiny
03 chance 04 extraordinary
05 delay

B 01 fortune 02 relative
03 background 04 adopt
05 funeral

C 01 overcome 02 resemble
03 essential 04 struggle
05 heart

해석

C 01 그녀는 두려움을 극복하기 위해 노력한다.
02 Amy는 그녀의 어머니와 전혀 닮지 않았다.
03 좋은 잠은 건강에 필수적이다.
04 요즘 많은 사람들이 일을 구하기 위해 애쓴다.
05 진심으로, 네가 시험에 통과하기를 바라.

DAY 12 여행과 취미 pp. 88~89

STEP 1

01 여가 02 목적, 의도 03 예약하다
04 포함하다, 포함시키다 05 확인하다, 확정하다
06 짐, 수하물 07 항해, 여행 08 기념품
09 서핑하다, 검색하다 10 장비, 용품
11 전반적인; 전반적으로 12 대단히 귀중한
13 refresh 14 suitcase 15 rent
16 additional 17 sightseeing
18 worth 19 adventure 20 captain
21 destination 22 antique 23 collection
24 ~에 열중[몰두]하다 25 go abroad

STEP 2

A 01 exclude 02 extra
03 book 04 baggage

B 01 souvenir 02 equipment
03 voyage 04 leisure
05 rent 06 suitcase

C 01 absorbed 02 worth
03 purpose 04 antique
05 abroad

해석

C 01 그녀는 컴퓨터 게임에 매우 열중해 있다.
02 그 책은 다시 읽을 가치가 있다.
03 그녀는 음악을 공부하려는 목적으로 독일에 갔다.
04 그는 골동품 가게에서 오래된 카메라를 샀다.
05 우리는 여름 방학 동안 해외에 갈 계획이다.

DAY 13 기억과 경험 pp. 94~95

STEP 1

01 즐겁게 하다 02 놀라운, 믿을 수 없는
03 특이한, 흔치 않은 04 준비하다, 정리하다
05 화려한, 고급의 06 거의 ~아니다[없다]
07 기억해 내다 08 거닐다, 돌아다니다
09 귀중한, 소중한 10 찾다, (도움·충고를) 구하다
11 (특정한) 때, 경우, 행사 12 기념[축하]하다
13 rare 14 regret 15 vivid 16 scent
17 detail 18 deserve 19 honor
20 annual 21 ceremony 22 desire
23 anniversary 24 ~에 기대다, ~에 의존하다
25 come to mind

STEP 2

A 01 rare 02 incredible
03 valuable 04 unusual

B 01 celebrate 02 annual
03 vivid 04 fancy
05 ceremony

C 01 scent 02 regret
03 occasions 04 deserves
05 rely

해석

C 01 그녀는 장미 향기를 좋아한다.
02 그는 그 결정을 나중에 후회할지도 모른다.
03 나는 특별한 경우에 내 흰색 드레스를 입는다.
04 나는 Jones 씨가 학생들의 존경을 받을 만하다고 생각한다.
05 요즘 우리는 거의 모든 것을 인터넷에 의존한다.

DAY 14 교통과 도로 pp. 100~101

STEP 1

01 (교통) 요금 02 이동(하다), 환승(하다)
03 경로, 노선 04 매다, 채우다
05 붐비는, 혼잡한 06 직행의, 직접적인; 지휘하다
07 횡단보도 08 교차로 09 보행자 10 길
11 승강장, 연단 12 거리, 대로 13 vehicle
14 express 15 passenger 16 transport
17 load 18 license 19 accident
20 track 21 rush 22 noisy 23 aboard
24 ~를 태워주다 25 be about to

STEP 2

A 01 crowded 02 transportation
03 noisy

B 01 passenger 02 accident
03 route 04 rush
05 express 06 direct
07 license

C 01 transfer 02 fasten
03 crosswalk 04 about
05 ride

해석

C 01 우리는 홍콩에서 다른 비행기로 환승해야 한다.
02 안전 벨트를 매주시겠어요?
03 횡단보도를 건널 때에는 조심해라.
04 내가 가장 좋아하는 TV쇼가 막 시작하려는 참이다.
05 우리 아버지는 매일 나를 학교까지 태워주신다.

DAY 15 장소와 건물 pp. 106~107

STEP 1

01 근처, 인근, 이웃 사람들 02 시골의, 지방의
03 시내로, 시내의 04 구역, 지역 05 건설하다
06 벽돌 07 외부의, 밖의 08 복도, 통로
09 항구 10 풍차 11 강당, 객석
12 작은 공간, 부스 13 countryside
14 urban 15 concrete 16 steel
17 indoor 18 ceiling 19 guard
20 public 21 lighthouse 22 fountain
23 complex 24 모퉁이를 돌아서, 얼마 남지 않은
25 by accident

STEP 2

A 01 urban 02 internal
03 complicated 04 outdoor

B 01 downtown 02 zone
03 aisle 04 public
05 auditorium

C 01 accident 02 fountain
03 harbor 04 neighborhood
05 corner

내신대비 어휘 Test pp. 108~109

01 ④ 02 ⑤ 03 ③ 04 ③ 05 ①
06 ⑤ 07 (A) hardly (B) hard
08 is worth reading

해석

01 ① 횡단보도 ② 교차로 ③ 대로
④ 분수 ⑤ 보행자

02 예약하다 : 예약하다 = 귀중한 : 귀중한
도시의 : 시골의 = 성공 : 실패
① 가치 없는 – 지혜 ② 귀중한 – 운
③ 드문 – 목적 ④ 특이한 – 후회
⑤ 귀중한 – 실패

03 특이하고 신이 나거나 위험한 경험이나 활동
① 관광 ② 기념품 ③ 모험 ④ 항해 ⑤ 목적지

04 ① 나는 진심으로 너를 사랑해.
② 그는 쉽게 그 수학 문제를 풀었다.
③ Alice는 그녀의 할머니와 닮았다.
④ 그녀는 팔짱을 낀 채로 줄을 서고 있었다.
⑤ 그 승강장은 사람들로 붐볐다.

05 그 책의 초판본은 단 몇 부만 세상에 남아있기 때문에 매우 희귀하다.
① 희귀한 ② 평범한 ③ 상대적인
④ 생생한 ⑤ 전반적인

06 ① 그녀는 이웃들에게 도움을 청했다.
② 그 콘서트는 큰 성공이었다.
③ 그의 집에는 실내 수영장이 있다.
④ 그 축제는 연례 학교 행사가 되었다.
⑤ 이 지역은 밤에 항상 매우 시끄럽다. (→ noisy)

07 나는 영어를 거의 말하지 못한다. 나는 지금부터 영어를 아주 열심히 연습할 것이다.

PART 4

DAY 16 학교와 수업 pp. 116~117

STEP 1

01 학기 02 완료하다; 완전한 03 졸업(식)
04 교육하다, 가르치다 05 시각의, 눈에 보이는
06 가능성, 잠재력; 잠재적인 07 외우다, 암기하다
08 요약, 개요 09 철자를 쓰다[말하다]
10 부정행위를 하다 11 시설 12 기숙사
13 lecture 14 term 15 absent
16 major 17 entrance 18 fluent
19 concentrate 20 review
21 pronounce 22 peer 23 counselor
24 (경쟁 등에서) 뒤처지다 25 sign up for

STEP 2

A 01 memory 02 summarize
03 pronunciation 04 complete
05 counselor

B 01 visual 02 entrance
03 graduation 04 potential
05 lecture

C 01 absent 02 behind
03 review 04 concentrate
05 sign

해석

C 01 Judy는 심한 감기 때문에 학교를 결석했다.
02 그는 경쟁에서 뒤처지지 않으려고 노력했다.
03 나는 그 소설을 읽은 뒤에 서평을 쓸거야.
04 너는 수업 시간에 선생님께 집중해야 한다.
05 나는 수영 강습에 등록할 것이다.

DAY 17 교육과 학문 pp. 122~123

STEP 1

01 기본의, 기초적인 02 강의, 강좌, 과정
03 주요한, 초기의 04 지능 05 동기를 부여하다
06 얻다, 습득하다 07 지시하다, 가르치다
08 학업의, 학문의 09 참조하다, 언급하다
10 검토하다, 조사하다 11 지적인, 지성의
12 궁극적인, 최종적인 13 ability
14 knowledge 15 target 16 field
17 combine 18 concept 19 prior
20 evaluate 21 pursue 22 theory
23 insight 24 ~보다는, ~ 대신에
25 be eager to

STEP 2

A 01 evaluation 02 motivation
03 basic 04 examination
05 pursuit

B 01 knowledge 02 course
03 primary 04 intelligence
05 prior

C 01 combine 02 rather
03 acquire 04 refer
05 eager

해석

C 01 빨간색과 노란색을 섞으면 주황색을 얻을 거야.
02 나는 밖에 나가기 보다는 집에 있기로 결정했다.
03 아이들은 대체로 외국어를 빨리 습득한다.
04 필요하다면 너는 사전을 참조해도 된다.
05 그녀는 운전하는 법을 배우려는 열의가 있다.

DAY 18 사회와 문화 pp. 128~129

STEP 1

01 관습, 풍습 02 기준, 수준; 표준의
03 특징, 특성 04 관계, 관련(성)
05 기부하다, 기여하다 06 기금, 자금
07 보통의, 평범한, 정상적인 08 거주자, 주민
09 지위, 상태, 상황 10 신원, 신분
11 포즈; 포즈를 취하다, (문제를) 일으키다
12 금지하다 13 social 14 traditional
15 individual 16 generation
17 distribute 18 survey 19 population
20 immigrate 21 rank 22 accent
23 gap 24 설립하다, 설치하다 25 in public

STEP 2

A 01 society 02 distribution
03 immigration 04 residence

B 01 traditional 02 standard
03 generation 04 population
05 identity

C 01 contributed 02 forbidden
03 public 04 individual

DAY 19 역사와 종교 pp. 134~135

STEP 1

01 역사적인, 역사상의 02 (국가·사회의) 유산
03 유적, 유물 04 제국 05 잔혹한, 잔인한
06 숙고하다, ~로 여기다, 배려하다
07 사악한; 악, 악행 08 정신, 영혼
09 믿음, 신념 10 무덤 11 사제, 성직자
12 축복을 빌다 13 ancient 14 revolution
15 absolute 16 legend 17 myth
18 religion 19 holy 20 pray
21 heaven 22 temple 23 miracle
24 ~을 따서 이름 지어지다 25 hand down

STEP 2

A 01 spiritual 02 legendary
03 religious 04 belief

B 01 ancient 02 revolution
03 heritage 04 evil
05 priest

C 01 absolute 02 pray
03 consider 04 historical
05 named after

DAY 20 의견과 생각 pp. 140~141

STEP 1

01 명백한, 분명한 02 제안하다, 청혼하다
03 거부[거절]하다 04 논쟁, 말다툼, 주장
05 납득[확신]시키다 06 주장하다, 고집하다
07 반대하다 08 추측하다, 가정하다
09 주장(하다), 청구(하다) 10 추정하다
11 논평, 언급; 논평하다 12 연상하다, 연관 짓다
13 positive 14 certain 15 persuade
16 approve 17 probably 18 settle
19 intend 20 abstract 21 realistic
22 conclude 23 alternative
24 의미가 통하다, 말이 되다 25 put up with

STEP 2

A 01 negative 02 oppose
03 reject 04 unrealistic

B 01 alternative 02 abstract
03 approve 04 claim

C 01 associate 02 intend
03 obvious 04 put up
05 make sense

내신대비 어휘 Test pp. 142~143

01 ② 02 ③ 03 ① 04 ② 05 ④
06 ⑤ 07 (f)luent 08 is forbidden

해석

01 보기 긍정적인 – 부정적인
① 정상적인 – 비정상적인 ② 목표 – 목표
③ 거절하다 – 받아들이다 ④ 추상적인 – 구체적인
⑤ 이민을 오다 – 이민을 가다

02 • 그들의 관계는 비밀로 남아 있다.
• 당신은 이 박물관에서 많은 고대 유물을 볼 수 있습니다.
① 자세; (포즈를) 취하다 ② 주장; 주장하다
③ 유물; 남아 있다 ④ 등급; (순위를) 매기다
⑤ 수단; 의미하다

03 그들의 주요한 목표는 많은 돈을 버는 것이다.
① 주요한 ② 기본의 ③ 현실적인
④ 시각적인 ⑤ 공통적인

04 ① 나는 이번 학기에 컴퓨터 수업을 들을 것이다.
② Jake는 학교 밴드에서 주요한 역할을 한다.
③ 그녀는 클래식 음악 분야에서 유명하다.
④ 그 계획은 완전한 실패였다.
⑤ 나는 그가 성공할 것이라고 확신한다.

05 • 너는 수업 시간에 공부하는 데 집중해야 한다.
• 당신은 사전을 참조할 수 있습니다.
• 우리의 텐트를 어디에 설치해야 할까?

06 Anna는 새로운 것을 배우고 자신의 지식을 넓히려는 열의가 있다.
① 강의 ② 지위 ③ 관습 ④ 믿음 ⑤ 지식

07 • 언어를 매우 잘 말할 수 있는
그는 외국에서 공부한 적이 없지만 영어가 매우 유창하다.

PART 5

DAY 21 문학 pp. 150~151

STEP 1

01 작가, 저자 02 의미 03 구, 어구 04 문맥, 맥락 05 속담 06 (~라고) 여기다, 생각하다 07 비극 08 삽화를 넣다, 명확히 설명하다 09 판, 형태 10 대단히, 고도로 11 일류의, 고전의, 전형적인; 고전, 명작 12 전기 13 literature 14 content 15 theme 16 sentence 17 fiction 18 inspire 19 mystery 20 imagination 21 publish 22 criticize 23 edit 24 ~에 전념하다 25 as usual

STEP 2

A 01 mysterious 02 tragic 03 criticism 04 meaningful 05 illustration

B 01 author 02 fiction 03 imagination 04 biography 05 version

C 01 content 02 inspired 03 regard 04 published 05 devoted

해석

C 01 그는 그의 성적에 만족하지 않는다.
02 이 그림은 한 아름다운 소녀에게서 영감을 받았다.
03 대부분의 사람들은 헤밍웨이를 위대한 작가로 여긴다.
04 그녀의 일기는 여러 언어로 출판되었다.
05 그 예술가는 일생 동안 그림 그리는 것에 전념했다.

DAY 22 공연과 예술 pp. 156~157

STEP 1

01 박수를 치다 02 훌륭한, 매우 밝은 03 공연, 성과, 실적 04 노래 가사 05 특정한, 특별한 06 지휘하다, 수행[실시]하다 07 존경하다 08 진짜의, 진품의 09 기법, 기술 10 조각(품) 11 고마워하다, 가치를 인정하다 12 조각하다, 깎아서 만들다 13 compose 14 audience 15 costume 16 successful 17 genius 18 exhibit 19 represent 20 fake 21 memorable 22 imitate 23 masterpiece 24 거절하다 25 in advance

STEP 2

A 01 performance 02 imitation 03 admiration 04 exhibition 05 technical

B 01 costume 02 successful 03 brilliant 04 genius 05 fake

C 01 composed 02 particular 03 memorable 04 conducted 05 advance

해석

C 01 이 시는 12행으로 구성되어 있다.
02 너는 특정한 종류의 음식에 민감할 수 있다
03 우리의 인도 여행은 많은 이유로 기억에 남는다.
04 Jason은 3년 동안 학교 오케스트라를 지휘해 왔다.
05 사전에 티켓을 예매하면 더 저렴하다.

DAY 23 방송과 언론 pp. 162~163

STEP 1

01 발표하다, 알리다 **02** 주의, 주목, 관심, 흥미 **03** 널리 퍼진, 광범위한 **04** 즐겁게 해주다 **05** 최신의, 최근의 **06** 정확한 **07** 명성 **08** 부분, 부문, 면 **09** 알리다, 통지하다 **10** 드러내다, 밝히다, 폭로하다 **11** 채널 **12** 음량, 볼륨, 분량 **13** broadcast **14** mass media **15** script **16** staff **17** talent **18** host **19** shoot **20** article **21** analyze **22** advertise **23** reality **24** 결심하다, 결정하다 **25** as a result

STEP 2

A **01** announcement **02** fame
03 advertisement **04** analysis
05 reality

B **01** broadcast **02** latest
03 host **04** article
05 channel

C **01** mind **02** accurate
03 reveal **04** section
05 result

해석

C **01** 그녀는 그 관계를 끝내기로 결심했다.
02 그 영화는 역사적으로 정확하지 않다.
03 그 기자는 자신이 진실을 밝히겠다고 말했다.
04 대부분의 신문은 스포츠면이 있다.
05 Jake는 경기 중에 다리를 다쳤다. 그 결과, 우리는 졌다.

DAY 24 사회 문제 pp. 168~169

STEP 1

01 안건, 쟁점, 문제 **02** 걱정, 관심사; 걱정시키다 **03** 개인적인, 사적인 **04** 주거지, 피난처, 보호소 **05** 사건, 일 **06** 일어나다, 발생하다 **07** 사례, 경우 **08** (범죄를) 저지르다 **09** 구하다; 구조, 구출 **10** 조사[연구]하다 **11** 살인; 살해하다 **12** 버리다, 포기하다 **13** solution **14** poverty **15** hunger **16** moral **17** minority **18** criminal **19** violent **20** clue **21** suspect **22** victim **23** approach **24** ~로 이어지다, ~을 초래하다 **25** cut in line

STEP 2

A **01** solution **02** crime
03 investigation **04** violence

B **01** shelter **02** moral
03 commit **04** victim
05 rescue **06** personal

C **01** approach **02** cut in line
03 hunger **04** lead to

DAY 25 상황 묘사 pp. 174~175

STEP 1

01 즐거운, 기분 좋은 **02** 적절한, 적합한 **03** 복잡한 **04** 상황, 환경 **05** 혼란스럽게 하다, 혼동하다 **06** 분명한, 명백한 **07** 이용할 수 있는, 시간이 있는 **08** 엉망진창 **09** 희미한, 약한; 기절하다 **10** 상태, 주; 진술하다 **11** 힘든, 강인한 **12** 장애(물) **13** peaceful **14** impossible **15** formal **16** visible **17** matter **18** comfort **19** danger **20** capture **21** emergency **22** isolate **23** urgent **24** 사실은 **25** as[so] long as

STEP 2

A 01 unpleasant 02 complicated
03 invisible 04 evident
05 informal

B 01 impossible 02 matters
03 emergency 04 urgent
05 obstacle

C 01 danger 02 available
03 confuse 04 long as
05 matter of fact

내신 대비 어휘 Test

pp. 176~177

01 ① 02 ⑤ 03 ⑤ 04 ② 05 ④
06 ② 07 (A) custom (B) costume
08 devote myself to studying

해석

01 ① 눈에 보이는 ② 가능한 ③ 평범한
④ 소설 ⑤ 즐거운

02 나는 마더 테레사의 전기를 읽고 있다. 그것은 그녀의 전 생애에 대한 이야기이다.
① 주제 ② 소설 ③ 미스터리
④ 상상(력) ⑤ 전기

03 누군가나 무언가를 다른 사람이나 사물로부터 분리시키다
① 모방하다 ② 폭로하다 ③ 버리다
④ 접근하다 ⑤ 고립시키다

04 • David은 매우 높이 뛸 수 있다.
• 그 회의는 대단히 성공적이었다.

05 네가 몇 살인지는 중요하지 않다.
① 알리다 ② 묘사하다 ③ 유용하다
④ 중요하다 ⑤ 다르다

06 ① 우리는 아인슈타인을 천재로 여긴다.
② 도와주셔서 매우 감사합니다.
③ 너는 그의 말에 주목해야 한다.
④ 그 나라의 많은 사람들은 기아로 죽는다.
⑤ 나는 Angela와 그녀의 언니를 종종 혼동했다.

07 설날에 전통 의상을 입는 것은 우리의 풍습이다.

PART 6

DAY 26 지역과 기후

pp. 184~185

STEP 1

01 지역, 지방 02 북극의; 북극 (지방) 03 열대 지방의, 열대의 04 (열대) 우림 05 다양하다, 다르다 06 수평선, 지평선 07 적응하다
08 포근한, 가벼운, 약한 09 내리다; 아래쪽의
10 영향을 미치다 11 계속되는, 지속적인
12 주로, 대부분 13 polar 14 degree
15 climate 16 peak 17 temperature
18 forecast 19 shade 20 freezing
21 factor 22 impact 23 humid
24 야기하다, 초래하다 25 according to

STEP 2

A 01 various 02 humidity
03 continuous 04 adaptation

B 01 tropical 02 polar
03 peak 04 climate
05 lower

C 01 temperature 02 forecast
03 freezing 04 impact
05 bring about

DAY 27 자연과 환경

pp. 190~191

STEP 1

01 재난, 재해 02 지진 03 자연의, 당연한, 타고난 04 조수, 조류 05 (생물의) 종 06 화석
07 산소 08 연료 09 석탄 10 쓰레기
11 산성의 12 보존하다, 지키다 13 drought
14 volcano 15 erupt 16 stream
17 evolve 18 environmental 19 pollute
20 resource 21 reuse 22 endangered
23 extinct 24 ~을 다 써버리다, 바닥내다
25 in danger of

STEP 2

A 01 extinction 02 environmental
03 pollution 04 reusable
05 preservation

B 01 disaster 02 volcano
03 fossil 04 resource
05 acid

C 01 evolve 02 endangered
03 earthquake 04 species
05 run

해석

C 01 인간은 침팬지에서 진화하지 않았다.
02 코알라는 호주의 멸종 위기 동물 중 하나이다.
03 그 도시는 지진에 의해 파괴되었다.
04 세상에는 약 30,000여 종의 물고기가 있다.
05 그 나라는 30년 이내에 기름을 다 써버릴 것이다.

DAY 28 변화와 영향 pp. 196~197

STEP 1

01 바꾸다, 변형시키다 02 알아차리다; 주목, 통지
03 달려있다, 의지하다 04 영향, 효과, 결과
05 유지하다, 지속하다 06 조치, 동작, 행위
07 계속[여전히] ~이다, 남다 08 전체의, 전부의
09 나쁘게, 심하게 10 제거하다, 없애다
11 생기다, 발생하다 12 노출시키다, 폭로하다
13 influence 14 dramatic 15 attempt
16 decrease 17 ruin 18 adjust
19 limit 20 exclude 21 loss
22 disappear 23 resist
24 갑자기, 느닷없이 25 in vain

STEP 2

A 01 increase 02 whole
03 disappear 04 include
05 arise

B 01 effect 02 limit
03 loss 04 expose

C 01 action 02 depend
03 adjust 04 remove
05 sudden

DAY 29 위치와 공간 pp. 202~203

STEP 1

01 위치를 알아내다, (~에) 두다 02 안쪽의, 내면의
03 위쪽의, 상부의 04 넓은 05 앞으로, 앞쪽으로
06 앞으로, 앞서서 07 (공간·시간을) 차지하다
08 지하의; 땅속에 09 인근의; 근처에
10 가파른, 급격한 11 펼치다, 퍼지다 12 줄, 열
13 position 14 opposite 15 backward(s)
16 upward(s) 17 distant 18 compass
19 depth 20 surface 21 surround
22 separate 23 length 24 우연히 만나다,
충돌하다 25 back and forth

STEP 2

A 01 narrow 02 backward
03 outer 04 lower
05 behind

B 01 position 02 distant
03 opposite 04 steep
05 surface

C 01 surrounded 02 located
03 nearby 04 run into

DAY 30 시간과 순서 pp. 208~209

STEP 1

01 현재의, 지금의; 흐름 02 잠시의, 간략한
03 요즘에는 04 최근의, 근래의 05 빠른,
급속한 06 다음의, 다음에 나오는 07 드물게,
좀처럼 ~하지 않는 08 연기하다, 미루다
09 연장하다, 넓히다, 늘리다 10 계속되는,
지속적인 11 ~하기로 예정된, 지불해야 하는
12 최근에, 요즘 13 modern 14 century
15 previous 16 delay 17 decade
18 permanent 19 frequent 20 gradually
21 random 22 immediately 23 midnight
24 내내, 줄곧 25 in time

STEP 2

A 01 frequently 02 extension
03 constantly 04 lately

B 01 rapid 02 midnight
03 recent 04 random
05 century

C 01 rarely 02 decades
03 due 04 all the way
05 previous

내신대비 어휘 Test

pp.210~211

01 ② 02 ③ 03 ⑤ 04 ③ 05 ⑤
06 ④ 07 (A) adopted (B) adapt
08 is located in

해석

01 ① 다르다 – 다르다
② (폭이) 넓은 – (폭이) 좁은
③ 전체의 – 전체의
④ 예측하다 – 예측하다
⑤ 드러내다 – 드러내다

02 많은 동물과 식물들이 멸종되었다. 그들은 더 이상 지구상에 존재하지 않는다.
① 매우 추운 ② 급격한 ③ 멸종의
④ 영구적인 ⑤ 멸종 위기의

03 ① 10년: 10년의 기간
② 현대의: 현재에 속한
③ 표면: 무언가의 최상층
④ 가뭄: 오랜 기간의 건조한 기후
⑤ 잠시의: 오랜 기간 계속되는

04 공기, 물, 땅을 더럽고 사용하기 위험하게 만드는 것
① 진화하다 ② 보존하다 ③ 오염시키다
④ 유지하다 ⑤ 차지하다

05 • 우리의 모든 노력이 허사가 되었다.
• 그의 부주의한 운전이 사고를 초래했다.
• 나는 이미 돈을 다 써버렸다.

06 ① 나는 최근에 매우 바빴다.
② 우리 오빠는 야채를 거의 먹지 않는다.
③ 우리가 경기를 형편없이 해서 졌다.
④ 색깔은 우리의 기분에 영향을 미칠 수 있다. (→ effect)
⑤ 그 책상들은 여섯 줄로 배열되어 있다.

07 그 회사는 새 제도를 채택해서 직원들은 새로운 환경에 적응해야 한다.

PART 7

DAY 31 과학과 연구

pp.218~219

STEP 1

01 진전, 진보; 진행되다 02 실험; 실험하다
03 연구(하다), 조사(하다) 04 방법
05 요소, 성분, 원소 06 발생시키다, 만들어내다
07 비추다, 반사하다, 반영하다 08 불꽃, 불길
09 흡수하다, (관심을) 빼앗다 10 혼합물
11 기관, 협회 12 기초, 근거 13 scientific
14 laboratory 15 difficulty 16 stage
17 microscope 18 discover 19 electric
20 freeze 21 physics 22 filter
23 chemistry 24 ~로 이루어지다, ~로 구성되다 25 figure out

STEP 2

A 01 discovery 02 basis
03 frozen 04 mixture
05 chemical

B 01 electric 02 element
03 difficulty 04 generate
05 reflect

C 01 progress 02 stage
03 absorbed 04 consist
05 scientific

해석

C 01 대부분의 학생들은 상당한 진전을 이루었다.
02 그 프로젝트는 아직 초기 단계에 있다.
03 그는 새로운 연구에 열중했다.
04 생물은 수많은 세포로 이루어져 있다.
05 그 이론에는 과학적인 근거가 없다.

DAY 32 기술과 우주 pp.224~225

STEP 1

01 성장[발전]하다, 개발하다 02 증거, 근거, 흔적 03 진보; 진보하다 04 중요한, 의미 있는 05 (인공)위성 06 우주 07 기원, 근원 08 회전하다, 회전시키다 09 우주 비행사 10 시작[출시]하다, 발사하다; 개시, 출시, 발사 11 증명하다, (사용법을) 보여주다 12 내부의, 체내의 13 technology 14 invent 15 replace 16 artificial 17 telescope 18 observe 19 galaxy 20 explore 21 creature 22 gravity 23 atmosphere 24 ~을 갖추다, ~이 장착되어 있다 25 before long

STEP 2

A 01 technological 02 inventor 03 observation 04 rotation 05 universal

B 01 develop 02 satellite 03 atmosphere 04 artificial 05 evidence

C 01 equipped 02 significant 03 replaced 04 demonstrated 05 advance

해석

C 01 모든 교실은 TV를 갖추고 있다.
02 대기 오염은 도시의 중요한 문제이다.
03 그 회사는 직원들을 기계로 대체했다.
04 선생님은 망원경을 어떻게 사용하는지 보여주셨다.
05 과학은 20세기에 엄청난 진보를 이루었다.

DAY 33 기계와 컴퓨터 pp.230~231

STEP 1

01 기능; 기능[작동]하다 02 작동시키다, 수술하다, 운영하다 03 전자의, 전자 장비의 04 장치, 기구 05 점검하다, 검사하다 06 ~할 수 있게 하다, 가능하게 하다 07 얻다, 획득하다 08 가상의 09 구하다, 저축하다, 절약하다, 저장하다 10 삭제하다 11 끌다, 드래그하다 12 연결하다; 관련, 연결, 링크 13 provide 14 convenient 15 repair 16 wireless 17 manual 18 mobile 19 perform 20 install 21 virus 22 access 23 code 24 A가 ~하는 것을 막다[방지하다] 25 out of order

STEP 2

A 01 convenience 02 installation 03 device 04 operation 05 performance

B 01 electronic 02 repair 03 access 04 mobile 05 virtual

C 01 function 02 save 03 delete 04 prevent

DAY 34 사물과 특징 pp.236~237

STEP 1

01 특징; 특징을 이루다 02 다른, 별개의, 분명한, 뚜렷한 03 것, 물건, 일 04 전형적인, 대표적인 05 분명한, 맑은, 투명한 06 이상한, 홀수의 07 구별하다, 구분하다 08 끈적거리는 09 차이, 다름 10 매우 비슷한; 비슷하게 11 끈, 줄 12 (작고 동그란) 점 13 layer 14 specific 15 contrast 16 define 17 pure 18 flexible 19 angle 20 tip 21 rough 22 edge 23 crack 24 줄이다, (나무를) 베다 25 out of date

STEP 2

A 01 difference 02 definition
03 purity 04 typically

B 01 odd 02 rough
03 tip 04 edge
05 specific

C 01 sticky 02 contrast
03 distinguish 04 out of date
05 feature

DAY 35 수량과 정도 pp. 242~243

STEP 1

01 추정하다, 어림잡다; 추정(치) 02 총, 전체의, 완전한; 합계 03 정확한, 정밀한 04 대략, 거의 05 곱하다, 증가[증대]하다 06 양, 수량, 분량 07 막대한, 거대한 08 거의 09 보통의, 중간의, 적당한 10 약간의, 경미한 11 10억 12 꽤, 상당히 13 figure 14 measure 15 calculate 16 maximum 17 quarter 18 sufficient 19 average 20 extreme 21 million 22 reduce 23 further 24 게다가 25 at least

STEP 2

A 01 exact 02 minimum
03 insufficient 04 enormous
05 nearly

B 01 total 02 quantity
03 slight 04 average
05 extreme

C 01 calculate 02 reduce
03 million 04 at least

내신 대비 어휘 Test pp. 244~245

01 ④ 02 ② 03 ④ 04 ③ 05 ①
06 ④ 07 (A) near (B) nearly
08 enable us to monitor

해석

01 ① 회전하다 – 회전 ② 작동하다 – 작동
③ 공연하다 – 공연 ④ 편리한 – 편리
⑤ 고안하다 – 장치

02 학교를 짓는 것은 그 나라에 매우 중요하다.
① 가상의 ② 중요한 ③ 어려운
④ 창의적인 ⑤ 인공의

03 • 그 드라마는 12개의 에피소드로 구성되어 있다.
• 그 학교는 컴퓨터실을 갖추고 있다.
• 그 의사는 지방을 줄이라고 말했다.
• 그는 꿈과 현실을 구분하지 못한다.
• 대부분의 가정에는 최소 한 대의 TV가 있다.

04 과학적 연구나 실험에 사용되는 특별한 방이나 건물
① 기능 ② 중력 ③ 실험실
④ 개시, 발사 ⑤ 협회

05 • 나는 새 태블릿 PC를 사기 위해 돈을 저축할 거야.
• 너는 다른 이름으로 파일을 저장해야 한다.

06 ① 다른 각도에서 문제를 바라보자.
② 대부분의 학생들은 상당한 진전을 이루고 있다.
③ 이 전자사전은 사용하기 쉽다.
④ 그 쌍둥이들은 매우 비슷해서 나는 늘 그들을 혼동한다.
⑤ 그는 많은 양의 보석을 도난당했다.

07 Andy와 나는 우리집 근처에서 아침마다 조깅을 한다. 우리는 거의 일 년 동안 함께 조깅을 해왔다.

PART 8

DAY 36 경제와 산업 pp.252~253

STEP 1

01 안정된, 안정적인 02 금융, 재정, 자금
03 성장, 증가 04 공급(량); 공급[제공]하다
05 꾸준한, 지속적인 06 감소, 하락; 감소하다, 거절하다 07 팽창[확대]하다, 확장되다
08 규모, 정도, 저울 09 수출하다; 수출(품)
10 (땅을) 갈다, 경작하다 11 상업, 무역
12 해외로; 해외의 13 economic 14 invest
15 industry 16 demand 17 manufacture
18 output 19 efficient 20 import
21 compete 22 agriculture 23 harvest
24 ~을 이용하다, ~을 기회로 삼다
25 as far as I know

STEP 2

A 01 financial 02 economical
03 investment 04 competition
05 commercial

B 01 industry 02 steady
03 supply 04 manufacture
05 scale

C 01 growth 02 advantage
03 harvest 04 demand
05 expand

DAY 37 정치와 선거 pp.258~259

STEP 1

01 민주주의 (국가) 02 자유 03 주시[감시]하다; 화면 04 대립, 갈등, 분쟁 05 참가[참여]하다
06 지지하다, 부양하다; 지지, 지원 07 포함하다, 관련[관여]시키다 08 임명[지명]하다, (시간·장소를) 정하다 09 압박, 압력 10 위원회 11 토론(하다), 논의(하다), 논쟁 12 미래상, 전망, 시력
13 political 14 strategy 15 policy
16 protest 17 crisis 18 negotiate
19 elect 20 candidate 21 campaign
22 vote 23 predict 24 ~하기로 되어 있다, ~할 예정이다 25 the majority of

STEP 2

A 01 politics 02 appointment
03 prediction 04 negotiation
05 voter

B 01 policy 02 pressure
03 candidate 04 vision

C 01 crisis 02 involved
03 participate 04 elect
05 supposed

DAY 38 법 pp.264~265

STEP 1

01 허가하다; 허가증 02 합법적인, 법률의
03 규제하다, 통제하다 04 정의, 공정함
05 신념, 원칙, 원리 06 위반하다, 침해하다
07 재판, 시험 사용 08 죄책감이 드는, 유죄의
09 증거(물), 증명 10 (신원을) 확인하다, 알아보다
11 인정하다, 시인하다 12 호소(하다), 매력(을 끌다)
13 illegal 14 equal 15 obey 16 duty
17 proper 18 accuse 19 confess
20 witness 21 innocent 22 release
23 punish 24 ~을 열망하다, ~을 갈망하다
25 regardless of

STEP 2

A 01 illegal 02 disobey
03 proof 04 innocent
05 injustice

B 01 principles 02 trial
03 witness 04 regardless

C 01 admitted 02 accused
03 violated 04 longed
05 punished

DAY 39 국가와 정부 pp.270~271

STEP 1

01 국가의, 전국적인, 국립의 02 공화국
03 권한, 지휘권 04 국내의, 가정의 05 민족의
06 알아내다, 결정하다 07 시장
08 이전의, 과거의 09 통합하다, 통일하다
10 제한하다, 통제하다 11 명령(하다), 지휘(하다)
12 보안, 안보 13 government
14 independent 15 civil 16 president
17 official 18 budget 19 object
20 council 21 soldier 22 border
23 mission 24 ~하는 것이 허용되다
25 in favor of

STEP 2

A 01 authorize 02 independence
03 determination 04 unification
05 secure

B 01 national 02 mayor
03 council 04 budget
05 mission

C 01 favor 02 border
03 official 04 object
05 allowed

DAY 40 국제 관계 pp.276~277

STEP 1

01 인종[민족] 간의, 인종적인 02 연합,
(노동) 조합 03 인식하고 있는, 알고 있는
04 상황, 처지 05 원조, 지원 06 연합하다,
단결하다 07 설립하다, 창립하다
08 패배시키다, 물리치다; 패배 09 긴장, 갈등
10 무력, 힘; 강요하다 11 폭탄, 폭발물
12 원자력의, 핵무기의 13 foreign
14 international 15 organization
16 threat 17 declare 18 invade
19 military 20 battle 21 enemy
22 explode 23 weapon
24 ~에 참여하다, ~에 참가하다 25 break out

STEP 2

A 01 racial 02 foreigner
03 invasion 04 threaten
05 explosion

B 01 union 02 situation
03 aid 04 military
05 nuclear

C 01 organization 02 aware
03 threat 04 defeat
05 broke

해석

C 01 그는 아이들을 위한 국제 기구에서 일한다.
02 우리는 무언가가 잘못 되었다는 것을 알았다.
03 핵무기는 세계 평화에 큰 위협이 된다.
04 우리는 적을 물리칠 때까지 싸워야 한다.
05 한국 전쟁은 1950년에 일어났다.

어휘 Test

pp. 278~279

01 ② 02 ③ 03 ① 04 ④ 05 ③
06 ④ 07 (p)redict
08 The majority of voters

해석

01 보기 성장하다 – 성장
① 투자하다 – 투자 ② 평등한 – 평등
③ 누르다 – 압력 ④ 경쟁하다 – 경쟁
⑤ 협상하다 – 협상

02 • 이 보고서는 우리 경제의 어두운 전망을 보여준다.
• 그녀는 시력이 나빠서 안경을 써야 한다.
① 위기 ② 증거 ③ 전망, 시력
④ 규모, 저울 ⑤ 생산량, 출력

03 나는 너의 의견에 반대한다.
① 반대하다 ② 신뢰하다 ③ 평가하다
④ 지지하다 ⑤ 포함하다

04 • 다른 사람의 약점을 이용하지 마라.
• 그들은 맑은 날씨를 갈망하고 있다.
• 그녀는 그 회의에 참석할 것이다.

05 ① 그 여배우는 신비한 매력이 있다.
② 그녀는 체중을 줄이기 위해 저녁 식사를 거르기로 결심했다.
③ 그의 가족은 1893년에 그 학교를 설립했다.
④ 나는 너의 제안에 찬성해.
⑤ 어젯밤에 큰 화재가 인근에서 발생했다.

06 ① 그는 자신이 결백하다고 주장했다.
② 인구는 1960년대에 급속히 팽창했다.
③ 우리는 법의 기본 원칙들을 잊어서는 안된다.
④ 경제 성장이 둔화되고 있다. (→ Economic)
⑤ 그 의회는 새로운 정책을 채택할 것이다.

07 미래에 어떤 일이 일어날 것이라고 말하다
과학자들은 지진을 예측할 수 있는 방법을 찾고 있다.

INDEX

C

D

E

J

K

L

M

N

O

P

Q

R

U

V

W

Z

시험에 더 강해지는

보카 클리어

중학 **완성편**